ALTRES LLIBRES DE JEFF KINNEY

Diari del Greg. Un pringat total

Diari del Greg. El Rodrick mana

Diari del Greg. Això és massa!

Diari del Greg. Quina calda!

Diari del Greg. La crua realitat

Diari del Greg. SOS. Atrapat en família

Diari del Greg. El tercer en discòrdia

Diari del Greg. Fes el teu propi llibre

DIARI
del Greg
MALA SORT! U

Jeff Kinney

Estrella Polar

Estrella Polar
Sèrie *Diari del Greg*

Títol original en anglès: *Diary of a Wimpy Kid. Hard Luck*

Primera edició en llengua anglesa: 2013, Amulet Books
Imprès per Harry N. Abrams, Inc., Nova York
Primera edició en català: octubre del 2014

© de la traducció: 2014, David Nel·lo
© d'aquesta edició: 2013, Grup Editorial 62, s.l.u.
Estrella Polar
Pedro i Pons, 9-11
08034 Barcelona

www.estrellapolar.cat
info@estrellapolar.cat

Fotocomposició: Víctor Igual, s.l.
Impressió: Liberdúplex
Dipòsit legal: B-16128-2014
ISBN: 978-84-9057-490-4

PER AL CHARLIE

Dimarts

La mare sempre diu que els amics van i vénen,
però que la família és per sempre. Home, si això és
veritat, podria dir que estic de pega.

Vull dir, és clar, que m'estimo els de casa i tal, però
no sé si estem fets per viure junts. Potser la cosa
millorarà quan visquem en cases separades i
només ens vegem per vacances, però ara mateix
us puc assegurar que la cosa és bastant fotuda.

I el que m'estranya és que la mare sempre vagi del pal "família", quan en realitat ella i les seves germanes no s'avenen gens ni mica. Potser es pensa que si continua repetint aquest missatge als meus germans i a mi, amb una mica de sort la cosa serà diferent. Però si jo fos ella, m'estalviaria saliva.

Em penso que la mare intenta fer-me sentir millor pel que em passa amb el Rowley. El Rowley sempre ha sigut el meu millor amic des del dia que va arribar al barri, però últimament les coses han canviat molt entre nosaltres.

I tot és per culpa d'una noia.

Creieu-me: pensava que l'última persona del món que aconseguiria tenir novieta seria el Rowley.

Sempre havia pensat que jo coneixeria algú primer i que el Rowley seria el paio que tothom compadiria.

Suposo que he de sentir una certa admiració pel Rowley pel fet d'haver trobat una noia a qui agrada. Però això no vol dir que me n'hagi d'alegrar.

En els bons i vells temps, només érem ell i jo, i anàvem tot el dia plegats i fèiem el que ens donava la gana. Si ens venia de gust fer bombolles amb el batut de xocolata a l'hora de dinar, doncs ho fèiem.

Però ara que ha aparegut una noia tot va d'un altre pal.

I el pitjor és que el Rowley sempre va amb la novieta, l'Abigail, com si fossin les dues peces d'un gafet. Fins i tot quan ella no hi és, és com si també hi fos. El cap de setmana passat vaig convidar el Rowley a casa per poder estar una bona estona junts, però al cap de dues hores ja vaig veure que no seria gens divertit.

I quan tots dos són al mateix lloc, encara és pitjor. D'ençà que el Rowley i l'Abigail van junts, és com si el Rowley ja no tingués cap opinió pròpia.

Jo tenia esperances que les coses canviessin i que tot tornés a ser com abans, però temo que això va per llarg.

Si us he de ser sincer, diria que la cosa ja ha anat massa lluny. M'he començat a fixar en els petits canvis que ha fet el Rowley, per exemple, la manera de pentinar-se o la roba que porta. I us puc garantir que la instigadora de tot plegat és l'Abigail.

I resulta que sóc jo qui ha sigut el millor amic del Rowley durant tots aquests anys, i per això, si algú té el dret a canviar-lo, aquest sóc jo.

El que no m'explico és com pots passar de ser el millor amic d'algú a trobar que et deixen de banda, com un kleenex fet servir. Perquè és això el que ha passat.

Durant l'hivern el Rowley i jo vam guardar unes boles de neu al congelador per tal de poder fer una baralla de neu quan fes més bon temps.

Doncs ahir va ser el primer dia decent després de molts dies de misèria, i quan vaig anar a buscar el Rowley a casa seva, ell va passar de mi.

L'altra cosa és que jo sempre m'he comportat correctament amb l'Abigail, però és evident que no li caic bé. Està posant una barrera entre el Rowley i jo des del dia que van començar a anar junts.

Però quan intento parlar del tema amb el Rowley,
sempre rebo la mateixa reacció.

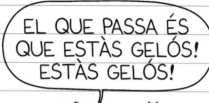

M'agradaria poder-li dir exactament el que penso
però no ho puc fer perquè depenc d'ell per arribar
a final de curs.

A classe d'anglès tinc el profe Blakely i ens fa
entregar tots els treballs en lletra lligada. I a mi això
d'escriure tanta estona en lletra lligada em
destrossa la mà, per això li pago un galeta cracker
amb mantega de cacauet per cada pàgina que
copia per mi.

Si hagués de començar a escriure els meus propis treballs a mà, el Blakely notaria de seguida que la cal·ligrafia no és la mateixa i malament rai.

Per això m'he d'aguantar i fer content el Rowley, almenys fins que no trobi algú capaç d'escriure exactament de la mateix manera que ell i que, a sobre, li agradin les galetes crackers amb mantega de cacauet.

Però el problema principal amb l'Abigail no és això dels deures d'anglès, és el camí cap a l'escola. El Rowley i jo sempre anàvem junts, cada matí; en canvi, ara ell va fins al barri de l'Abigail i tots dos fan el camí fins a l'escola plegats.

Això és un problema per un parell de raons. Primer perquè el Rowley i jo tenim els nostres tractes i ell és l'encarregat d'anar a l'avançada per detectar totes les caques de gos que hi ha a terra. Això m'ha salvat un munt de vegades.

Hi ha un gos que ens té una mania impressionant, a mi i al Rowley, i sempre que passem per davant de casa seva hem d'estar molt al lloro. És un Rottweiler, es diu Rebel, i de vegades s'escapava del jardí i ens perseguia quan anàvem a l'escola.

Al final l'amo del Rebel va haver de posar una tanca electrificada per evitar que s'escapés. Ara el Rebel no ens pot perseguir perquè si intenta sortir del jardí rep una descàrrega elèctrica.

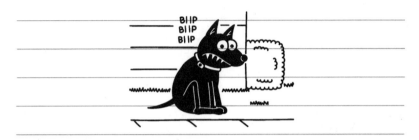

Des del dia que el Rowley i jo vam descobrir això del collar elèctric del Rebel, ens ho passem bomba amb ell.

Però el problema és que el Rebel ha descobert que mentre el collar no travessi el límit de la casa, no té perill.

I si no tingués el Rowley amb mi no entraria en el terreny minat que és l'espai que controla el Rebel.

L'altra raó per la qual és una porqueria que el Rowley no faci el camí amb mi és perquè, com que el curs ja està molt avançat, últimament els profes ens claven una quantitat indecent de deures.

I això significa que m'he d'endur tots els llibres de text a casa cada dia.

I jo no estic fet per carretejar tant de pes; en canvi el Rowley és una mena de bèstia de càrrega i per a ell això no és cap problema.

Per desgràcia, el Rowley només està disposat a ajudar l'Abigail amb els seus llibres i això em fa sospitar que aquesta és la raó per la qual ella va amb ell.

I, com a millor amic del Rowley, això trobo que és una mica difícil de pair.

Dimarts

M'he empescat una bona solució per al problema dels llibres. Aquest matí he agafat la maleteta amb rodes que el pare fa servir quan va de viatge, i he pogut dur les coses a l'escola sense cansar-me gens.

Fins i tot he anat més de pressa, però és perquè, quan he passat per davant de la casa del senyor Sandoval, he corregut una mica més.

Abans d'una bona nevada, el senyor Sandoval posa uns pals davant la rampa de casa, així quan ve el paio que neteja la neu sap per on ha d'anar.

L'última vegada que va nevar, el Rowley i jo vam arrencar els pals de l'entrada del senyor Sandoval i els vam fer servir per jugar i fer l'ase.

És clar que no devíem tornar els pals al seu lloc, perquè quan va arribar el paio per netejar la rampa, va errar el camí de cinc o sis metres.

Des d'aleshores el senyor Sandoval no fa més que esperar que el Rowley o jo passem per davant de casa seva per clavar-nos una bona estirada d'orelles. I la veritat és que no em veig amb cor d'encarar-m'hi, sobretot si estic sol.

Ara que, de fet, el senyor Sandoval no és l'únic perill que hi ha entre casa i l'escola.

D'ençà que van començar les obres al carrer de la iaia, hem de fer una bona marrada en el camí de tornada a casa. I això suposa que hem de passar pel bosc on sempre hi ha la penya del Mingo.

No sé gaires coses de la penya del Mingo. No els he vist mai a l'escola, i per això penso que és possible que visquin al bosc, com a bèsties salvatges.

Tampoc no sé si hi ha cap adult o pare a la penya del Mingo. He sentit a dir que el cap de colla és un tal Meckley, que sempre porta una samarreta sense mànigues i un cinturó de cuiro amb una sivella metàl·lica enorme.

MECKLEY MINGO

Una vegada el Rowley i jo vam apropar-nos massa al bosc i va aparèixer un xaval de la penya del Mingo i ens va advertir.

No sé exactament a què es referia però si amb allò es referia al cinturó del Meckley, valia més tocar el dos abans de descobrir-ho.

Ara que torno sol a casa, he d'anar per l'altre costat del carrer per no apropar-me al bosc del Mingo. Això no seria gaire greu, però el problema és que no hi ha vorera i el camí és tot pedregós, cosa que no deu ser gaire bona per a la maleteta del pare.

La mare s'ha fixat que últimament no vaig gens amb el Rowley. M'ha dit que no m'hi amoïni gaire, perquè la majoria d'amistats d'infància mai no duren, i que, probablement, tard o d'hora el Rowley i jo hauríem agafat camins diferents.

Bé, espero que s'equivoqui perquè a mi em sembla important mantenir els amics de la infància, més que res perquè després puguin veure com he progressat.

D'altra banda, no sé si la mare és la millor persona per donar-me consells, perquè les amistats entre nois són totalment diferents que entre les noies. I això ho sé perquè he llegit pràcticament tota la sèrie de La colla dels pijames.

Abans que em critiqueu i digueu que aquests llibres són per a nenes, permeteu-me que us digui que l'única raó per la qual m'hi vaig enganxar va ser perquè una vegada em vaig descuidar de dur un llibre i teníem Llegir en silenci. El profe em va dir que els únics llibres que em podia deixar eren els de la sèrie de La colla dels pijames. I un cop n'has llegit un, no hi ha manera de parar.

Hi deu haver un centenar de llibres de la sèrie. Els primers trenta són bastant bons però després em penso que l'autor va començar a quedar-se sense idees.

Bé, als llibres de *La colla dels pijames* hi ha dues amigues que sempre es barallen per parides sense importància.

Però després sempre acaben fent les paus i parlen del verdader significat de l'amistat.

EM SAP GREU D'HAVER-ME ACABAT EL TEU PINTALLAVIS!

I A MI EM SAP GREU D'HAVER FET UN PETÓ AL JUSTIN A LA PISTA DE PATINATGE

EI, QUÈ EM DIUS...?

I aquest és bàsicament l'argument de cada llibre de la sèrie de La colla dels pijames. I sabeu què? La cosa potser funciona així per a les noies però us asseguro que entre els nois no és així.

Per als nois les coses són molt menys complicades. Per exemple, imaginem-nos que un xaval trenca una cosa que és d'un altre xaval, però ho ha fet sense voler. Doncs bé, al cap de cinc minuts ja ni se'n recorden i les coses tornen a ser normals com sempre.

No sé si això significa que els nois són menys complicats que les noies o així, però del que estic segur és que ens estalviem molt de temps i energia.

Divendres

No m'agrada gens haver-ho d'admetre, però em penso que les prediccions que la mare va fer sobre el Rowley i jo comencen a ser veritat.

Des del dia que el Rowley i l'Abigail van començar a sortir junts, ella seu a la nostra taula a l'hora de dinar, i és una taula tota de xavals. Ja he explicat que a ella això de fer bombolles amb el batut de xocolata no li agrada gens, però és que a sobre hi ha un munt de coses que no li agraden.

Una d'elles és la Regla dels Cinc Segons. Tots els xavals de la taula hem acordat que si et cau un tros de menjar a terra i el reculls abans de cinc segons, encara te'l pots menjar.

Una variació sobre aquesta regla que algú va introduir fa poc diu que pots agafar un tros de menjar que ha caigut a terra, encara que no siguis tu qui l'ha fet caure. Per culpa d'això he perdut recentment dues galetes de xocolata i un polo.

A més, aquesta nova regla ens ha dut molts maldecaps. Ahir, el Freddie Harlahan es va menjar un tros de pernil dolç de terra perquè es pensava que el Carl Dumas l'havia fet caure, però en realitat vam descobrir que era del torn de dinar d'abans del nostre.

O potser ja hi era abans d'això, perquè el Freddie es va trobar malament i va haver d'anar a la infermeria de l'escola i s'hi va quedar tot el dia.

NYAM, NYAM, REGLA DELS CINC SEGONS, NYAM!

Tot em fa pensar que a la taula on seia abans l'Abigail no tenien això de la Regla dels Cinc Segons, o a cap taula de noies, en realitat. Una altra cosa que estic segur que no tenen és el que en diem Les Patates Fregides de Divendres.

Cada divendres a la cafeteria de l'insti serveixen unes hamburgueses amb una carn grisosa que té gust com d'esponja, i amb una mena de patates fregides que estan fetes de moniato en comptes de patata.

Però ara la mare del Nolan Tiago treballa mitja jornada a la biblioteca i els divendres porta al seu fill una hamburguesa amb formatge i patates fregides d'un lloc de menjar ràpid.

El Nolan es fot les patates, però sempre ens en deixa menjar del fons de la bossa. I més d'un cop he vist xavals que gairebé s'estomaquen per poder pillar alguna patateta fregida mig freda.

Vam decidir que, per evitar mals majors, valia més partir-se les patates com bons germans, per això vam demanar l'ajuda de l'Àlex Aruda per dividir-ho tot a parts iguals.

Tots nosaltres vigilem l'Àlex per assegurar-nos que no se'n queda un lot extra per a ell.

Alguns xavals endrapen les patates de cop, però jo prefereixo rosegar les meves per fer-les durar el màxim possible.

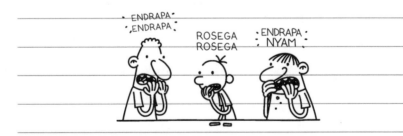

Però per moltes patates que ens toquessin, mai no en tindríem prou. Avui havien quedat tres patates a la bossa i les hem hagut de dividir entre deu.

Vaja, que fins i tot hi ha xavals disposats a pagar deu cèntims al Nolan per poder olorar l'olor de patates del seu alè. I em penso que això és el que va empènyer l'Abigail a buscar-se un altre lloc per seure.

Quan l'Abigail es va canviar de taula també se'n va endur el Rowley. I a mi això ja m'està bé perquè vol dir que tindrem més patates per a la resta de nosaltres.

L'Abigail i el Rowley s'han canviat a la taula de les Parelles, que és l'únic lloc de la cafeteria on encara queden llocs lliures per seure. Després del ball del dia de Sant Valentí gairebé totes les parelles del nostre curs ho van deixar córrer, per això l'Abigail i el Rowley poden triar el lloc que vulguin.

La raó per la qual les parelles tenen tota una taula només per a elles és que ningú més no pot suportar de seure-hi. I us asseguro que jo, ni que em paguessin, no m'asseuria allà per contemplar com l'Abigail dóna unes natilles al Rowley.

En el mateix instant que el Rowley i l'Abigail van marxar de la nostra taula, dos xavals van ocupar els llocs que ells havien deixat lliures. A la cafeteria no hi ha prou espai per a tothom a l'hora de dinar, de fet n'hi ha molts que han de fer cua.

Si no vas pillar una cadira el primer dia de curs, mala sort. Hi ha xavals que esperen un lloc lliure des del setembre, i probablement l'últim dia de curs encara l'esperaran.

Jo em considero afortunat de tenir un lloc perquè els que se n'han quedat sense han de seure a terra o on sigui.

Els xavals del mig de la cua ja gairebé no tenen cap esperança d'aconseguir una cadira i per això han començat a vendre els seus llocs als xavals del seu darrere. Vaig sentir dir que el Brady Connor va vendre el seu lloc a la cua (anava el número 15) al Glenn Harris, que anava un lloc per darrere. El Glenn va haver-li de pagar cinc dòlars i un sandvitx de gelat.

Per desgràcia, els dos xavals al davant de la cua eren l'Earl Dremmell i el seu germà bessó, l'Andy, i van ser ells els que es van quedar els llocs de l'Abigail i del Rowley. L'Earl i l'Andy tenen gimnàstica just abans de dinar i tots dos només fan veure que es dutxen, igual que jo.

Tot i que sec a taula amb una colla de xavals, no podria dir que cap d'ells sigui un amic de veritat. Perquè així que hem de sortir al pati cadascú va a la seva.

Abans sempre anava amb el Rowley a l'hora del pati però tot això ja s'ha acabat. Probablement ja seria hora que anés a la meva, una vegada per totes, però la veritat és que no sé ben bé què fer.

D'entrada, perquè hi ha alguns xavals que he de vigilar quan sóc al pati.

Fa uns anys la mare va invitar una colleta de nanos de la classe a la festa del meu aniversari, però com que ella creia que jo ja tenia prou joguines, ho va posar a la invitació.

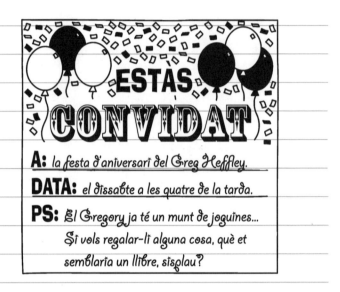

ESTÀS CONVIDAT

A: la festa d'aniversari del Greg Heffley.

DATA: el dissabte a les quatre de la tarda.

PS: El Gregory ja té un munt de joguines... Si vols regalar-li alguna cosa, què et semblaria un llibre, sisplau?

Normalment, quan obres els regals, tots els altres xavals es moren d'enveja. Però a la meva festa em penso que els va saber greu per mi.

Per desgràcia, la idea de la mare es va escampar entre les mares del nostre barri, i avui dia he d'anar amb compte quan veig un xaval que a l'hora del pati es passeja amb un llibre a la mà.

Un altre cas és el Leo Feast i la seva banda. Fa uns quants estius vaig tenir un embolic amb aquells nanos i des d'aleshores sempre hi ha hagut mal rotllo entre nosaltres.

Un dia el Rowley i jo vam anar a l'escola per fer córrer la bici per la pista de bàsquet, però el Leo i els seus col·legues van aparèixer al cap de poc.

Ens van dir que havíem de tocar el dos perquè ells volien jugar a bàsquet.

Vaig dir al Leo que podíem fer una cosa: ells es podien quedar mitja pista i nosaltres podríem anar amb bicicleta per l'altre tros. Però van dir que ni de conya i que fotéssim el camp.

Jo estava molt mosca perquè ens havíem deixat intimidar d'aquella manera i vaig decidir que calia fer-hi alguna cosa. Al cap d'uns dies la mare em va preguntar, així sense venir al cas, que si volia apuntar-me a una mena de curset a l'Acadèmia d'Entrenament de Superherois. Em va ensenyar el prospecte i de seguida m'hi vaig engrescar.

Em moria de ganes d'acabar el curset a
l'Acadèmia de Superherois per impressionar el Leo
i els seus col·legues amb un parell de truquets.

La mare del Rowley també l'hi havia apuntat i tots dos estàvem molt engrescats. Però des del primer dia em vaig adonar que tot plegat era una enganyifa com una casa.

Per començar, l'Acadèmia de Superherois era al gimnàs de l'AJC i no en un cau secret al soterrani de l'edifici. Després em vaig adonar que tot el rotllo de "superpoders" era una estupidesa.

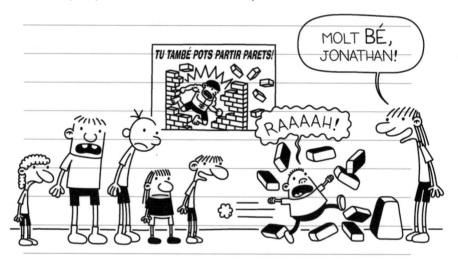

Total que el Rowley i jo ens vam quedar atrapats en aquella mena d'esplai mentre les nostres mares feien encàrrecs. I al final ni tan sols ens van donar antifaços o disfresses o alguna cosa enrotllada. Uns fastigosos certificats, és el que ens van donar.

Gregory Heffley

ÉS UN

Superheroi

DE

les bones maneres a taula

Zap!

Al cap d'unes setmanes vam anar a l'escola amb les bicis i, és clar, ens vam trobar el Leo i els seus col·legues a la pista de bàsquet. I m'imagino que hauria hagut d'avisar el Rowley que l'entrenament de superheroi no servia per a res de res.

A part dels xavals que he d'evitar, com el Leo, hi ha alguns altres grupets que van junts a l'hora del pati. Però em penso que jo no tinc res a veure amb ells.

Hi ha uns xavals que juguen amb els cromos dels jocs de Fantasy i un altre grup que l'únic que fa és llegir.

Després hi ha un grup que organitza jocs a la pista. Fa uns quants mesos es van prohibir tots els jocs de pilota perquè hi havia massa accidents i els xavals es feien mal.

Total que aquest grup va decidir que en comptes de jugar amb una pilota ho farien amb una sabata. Però no val la pena ni preguntar de què va el joc.

L'Erick Glick va amb una colla de calaveres i es posen darrere la paret de l'escola per tal que els profes no els puguin veure. He sentit a dir que si el que necessites és un treball sobre un llibrot vell, l'Erick te'l pot aconseguir.

Les noies també tenen els seus grupets. N'hi ha unes que salten a corda a la vora de l'escola i unes altres que juguen a la xarranca no gaire més lluny. Corre el rumor que els dos grups no s'avenen gens, però no tinc ni idea de com va la cosa.

Us diré a quin grup m'agradaria pertànyer: el de les noies que es passen la vida vora la porta de la cafeteria i no paren de fer safareig i fan comentaris sobre tothom que passa.

Més d'un cop m'he intentat infiltrar en aquest grup, però és evident que no accepten cap nouvingut.

L'únic lloc en què nois i noies es barregen és al pati. Alguns xavals han començat a jugar a tocar i parar, que per cert era un joc superpopular a l'escola primària.

Jo fa anys que intento jugar a tocar i parar, però les noies només empaiten els nois que tenen més èxit, tipus el Bryce Anderson.

De tant en tant, quan és el torn de les noies a empaitar els nois, algú crida la consigna i el joc canvia.

Va canviant d'una cosa a l'altra fins que el timbre ens crida per tornar a entrar a classe.

L'únic problema que té aquest joc és que no queda mai clar què has de fer quan has atrapat algú. Recordo quan anava a cinquè de primària i jugàvem als nois empaiten les noies i vaig enxampar la Cara Punter.

La Cara es va queixar a la monitora del pati, que em va fer seure a la paret durant tota l'estona de la pausa. I estic segur que l'escola va trucar a casa meva.

Em penso que l'escola se n'ha adonat, que hi ha nanos que ho tenen molt difícil per jugar amb altres nens al pati i per això van convertir la "casa" que servia per denunciar els abusananos en una "casa" per trobar un amic.

Sempre he pensat que això de la "casa per trobar un amic." és una idea força ridícula, però la veritat és que últimament no tinc gaires opcions.

Suposo que no es van adonar del llumet blau que es va encendre o potser estaven massa enfeinats jugant a tocar i parar amb les noies, però la qüestió és que no va venir cap xaval. El profe Nern es devia apiadar de mi perquè va ser l'únic que va aparèixer amb un joc de dames a la mà.

Millor allò que res. Però espero que el Nern no es pensi que això serà una cosa que ha de continuar.

<u>Dimecres</u>

D'acord, quan veus que el teu germà petit té més amics que tu, saps que la cosa va malament.

Una família amb un nen amb edat d'anar a la guarderia va arribar al barri fa unes setmanes. Es diu Mikey, i ell i el Manny s'entenen la mar de bé. Tots dos juguen plegats a la sortida de l'escola, cada dia d'ençà que es van conèixer.

Al Mikey li encanta el suc de pomelo vermell i mai no l'he vist sense una marca vermella al voltant dels llavis. El resultat és que sembla un paio de quaranta anys amb una barbeta.

MIKEY

Bé, l'única cosa que fan el Mikey i el Manny junts és mirar la tele.

Pel que sé, cap de tots dos no ha dit mai una paraula a l'altre, però malgrat això m'imagino que és una relació que funciona.

I hi ha una cosa que encara és més estranya que això: ara resulta que l'avi té una nòvia. Jo no sabia que podies sortir amb algú quan tens l'edat de l'avi, i suposo que estava equivocat.

La veritat és que no m'hauria de sorprendre tant. El pare diu que als esplais de gent gran hi ha moltes més dones que homes. Per això l'avi sempre té un munt de dones fent cua davant la seva habitació que el volen conquistar amb pastissos fets al forn.

Fa un temps l'avi va començar a sortir amb una vídua que es diu Darlene, i ens la va presentar aquest cap de setmana, perquè van venir a sopar a casa.

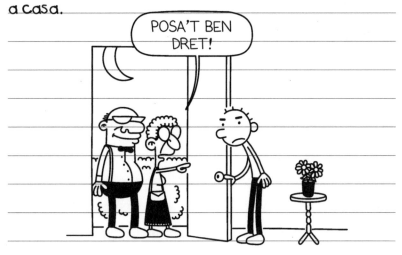

POSA'T BEN DRET!

Em sembla una bogeria que el Rowley i l'avi tinguin una novieta al mateix temps.

L'únic que puc dir és que si la gent de la propera generació és així, la raça humana ho té molt fotut.

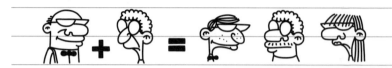

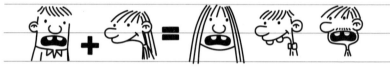

No hauria d'haver dit mai res a la mare sobre la meva vida social, però ara se li ha posat al cap que m'ha d'ajudar a fer nous amics.

Ahir va convidar a casa una amiga amb qui havia compartit habitació, fa un munt d'anys, perquè aquesta té un fill i la mare va creure que nosaltres dos ens podríem "avenir molt".

Però el que la mare no m'havia dit és que el fill de la seva amiga ja està acabant la secundària, i això va crear una situació molt marciana.

Últimament la mare em dóna consells per fer nous amics a l'escola.

Em penso que ella ho fa de bona fe, però no s'adona és els seus consells no funcionarien gens bé amb nanos de la meva edat. Per exemple, ella està convençuda que si sóc molt simpàtic amb tothom, de seguida correrà la veu i em convertiré en un dels xavals més populars de l'escola.

Potser aquest tipus de cosa funcionava quan la mare era joveneta, però amb els xavals d'avui dia no. Sempre li dic, a la mare, que avui dia tenir èxit amb els companys depèn molt de la roba que portes i del tipus de mòbil que tens. Però no en vol sentir parlar, de tot això.

A l'escola hi ha tota una moguda per promoure la "confiança positiva", i per això han despenjat tots els pòsters antiabusananos dels passadissos perquè no s'adiuen amb aquest nou tema.

Ara, en comptes de castigar els xavals que són cruels amb els altres, premien els que són amables.

La idea bàsica és que si un professor t'enxampa sent amable amb un altre xaval, obtens "Punts d'Heroi".

Si aconsegueixes un bon nombre de Punts d'Heroi els pots canviar per estona d'esbarjo suplementària.

I la classe que obté més Punts d'Heroi aconsegueix un dia lliure al juny.

D'entrada a mi em va semblar una idea bastant decent, però al final sempre n'hi ha que ho han d'espatllar tot. Els xavals de seguida van veure que no calia fer cap bona obra per obtenir Punts d'Heroi. Així que veien un profe feien veure que estaven fent una bona obra.

Els Punts d'Heroi s'imprimeixen de deu en deu en un full i els profes en retallen un quan volen compensar un xaval.

L'Erick Glick va aconseguir un d'aquests fulls i el va fotocopiar. Total que després d'això hi havia un munt de Punts d'Heroi en circulació per l'escola.

L'Erick els ha començat a vendre a vint-i-cinc cèntims el punt, però els altres xavals també s'han adonat que podien fer les seves pròpies còpies i al final hi havia tants Punts d'Heroi que els fulls es venien a quatre cèntims els cent punts.

Els profes han començat a sospitar quan els pitjors alumnes de la classe han anat a canviar un munt de Punts d'Heroi per esbarjo suplementari.

Total que l'escola ha invalidat tots els Punts d'Heroi impresos en paper blanc i n'ha fabricat una nova remesa en paper verd. Però al cap de no res ja han descobert la manera de fer còpies en paper verd, i tota la comèdia ha tornat a començar.

Cada vegada que l'escola canvia de color de paper, hi ha imitacions en menys de vint-i-quatre hores. Al final l'escola ha optat per no acceptar cap nano que es presenti amb més de cinc Punts d'Heroi, perquè els profes diuen que això és senyal que són falsificats.

Però això tampoc no és just. El Marcel Templeton, un dels paios més macos de la classe, s'ha quedat sense pati durant un mes, tot i que ell havia guanyat els seus trenta-cinc Punts d'Heroi netament.

Al final el conserge de l'insti ha enxampat la banda de falsificadors en una aula de Ciències, que els xavals feien servir com el cau de malifetes.

L'escola ha suspès tot el sistema de Punts d'Heroi, i això és un fàstic, perquè ara que ja no hi ha la possibilitat d'obtenir estona de pati suplementària i ningú no està disposat a ser amable.

Diumenge

Em penso que la mare s'ha agafat molt a pit això de l'èxit amb els xavals de la meva edat, perquè avui m'ha portat a comprar roba.

Normalment m'horroritza anar de compres, perquè l'únic cop que ho fem és a principi de curs. I un cop a l'any us asseguro que és més que suficient.

A la meva vida he fet un munt de coses avorrides però no hi ha res que em deixi tan fet pols com anar a comprar roba per tornar a l'escola.

Sovint la mare ens du a comprar roba en una botiga del centre que es diu Frugal Freddy. Em penso que els tipus que la porten entenen d'homes, perquè ens dediquen una petita zona pròpia per esperar-nos mentre les dones fan les compres.

El setembre passat la mare ens va dur al Rodrick i a mi a comprar roba al Frugal Freddy. Per desgràcia, va descuidar-se de recollir-nos quan ja havia acabat de comprar i no se'n va adonar fins que no va haver arribat a casa.

Ens hi vam haver de passar tres hores abans que ens vingués a buscar.

Però la veritat és que avui sí que em venia de gust això d'anar a comprar. M'he comprat dos parells de texans i tres camises, però el que m'interessava més era el tema sabates.

Totes les meves sabates són heretades del Rodrick, i sempre que en rebo un parell m'he de passar un munt d'estona rascant restes de xiclet de les soles.

L'únic cop que vaig tenir un parell de sabates noves
va ser quan feia quart i la mare em va comprar un
parell de vambes per al primer dia d'escola.

Li vaig dir que mai no havia sentit la marca
Sportzterz. Em va respondre que estaven fetes
amb "tecnologia espacial europea". Total, que jo
estava superorgullós de les meves noves sabates
quan vaig anar a l'escola.

Però a l'hora del pati les soles de goma van caure. Em vaig quedar tot escorregut i quan vaig arribar a casa li vaig ensenyar a la mare. Ella va dir que no m'amoïnés, que les tornaríem a la botiga i ens en donarien un parell nou.

Resulta que les havia comprat en una botiga de saldos, i que la "tecnologia espacial" era una estafa.

Per això quan avui m'ha dit que aniríem de compres li he dit que només estava interessat en marques conegudes i potents.

Ara, això d'escollir noves sabates no ha estat gens fàcil. N'hi ha com a mínim un milió de diferents, i cadascuna figura que va bé per a una cosa diferent.

Hi ha sabates de muntanyisme, per córrer, per fer skate i per no sé quantes coses més.

He vist una mena de vambes supertècniques de bàsquet que m'han fet flipar. Tenien una mena de gadget a les soles que teòricament et feia saltar més alt, i ja estava mig decidit a comprar-me-les.

Però aleshores m'ha agafat una mica de cangueli perquè he pensat que potser se'm descontrolarien camí de l'escola.

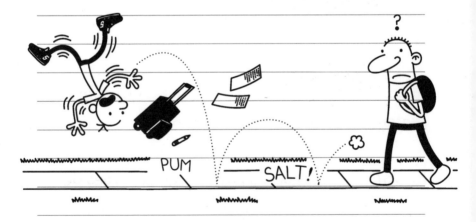

PUM

SALT!

També hi havia un parell de vambes verdes "tot terreny" que eren una passada absoluta, però a la capsa deia que eren per a "atletes esforçats".

I allò m'ha fet pensar que no feien gaire per a mi.

Fins i tot he considerat la possibilitat de comprar-me unes sabates d'aquelles que duen unes rodetes incorporades perquè això em permetria passar com un llamp pel costat de la penya del Mingo.

Al final m'he decidit per un parell de sabates esportives però sense exagerar. La mare m'ha demanat si me les volia endur posades però li he dit que ni pensar-ho, que encara s'embrutarien abans d'estrenar-les per anar a l'escola.

I, a més, així he pogut sentir el plaer d'olorar la
flaire de sabates noves, camí de casa.

Dilluns

Mai no m'havia adonat de la brutícia del terra fins
ara que tinc les sabates noves. I no és només
el terra perquè les voreres no estan gaire millor.

El camí de l'escola és com un camp minat de fang,
greix i altres porqueries, i has de ser pràcticament
un ninja per evitar tota la brutícia.

De fet, aquest matí quan havia cobert només uns cinquanta metres he girat cua i he tornat a casa. He agafat unes bosses de plàstic d'escombraries i me les he posat als peus, i la cosa ha anat prou bé durant una bona estona.

Però al final la part de baix de les bosses s'ha rebentat i m'he quedat sense cap mena de protecció. M'he arrencat el que quedava de les bosses i les he llençat al primer cubell de brossa que he trobat.

Després d'això he evitat els perills com he pogut. Caminava per la vorera fins que m'he adonat que hi havia pedretes que em quedaven enganxades a la sola de les sabates i ja sabia que per treure-les amb un bastó seria un martiri. La tècnica següent ha sigut evitar que la part de baix de goma toqués gaire el terra.

Més tard he descobert que valia més caminar per l'herba. He arribat vint minuts tard a classe, però ha valgut la pena perquè la meva aparició ha tingut molt d'estil.

Per desgràcia m'he trobat que ja havien començat un examen sorpresa de Geografia i m'he hagut d'espavilar per atrapar els altres.

Poc minuts més tard m'ha vingut una olor repugnant. D'entrada em pensava que era el Bernard Barson, que en general fa bastanta catipèn.

Però allò era molt pitjor. He agafat les meves coses i m'he canviat a un pupitre del darrere de tot de la classe per tal de concentrar-me en l'examen, però la pudor m'ha seguit. En aquell moment m'he adonat d'on venia.

D'haver aixafat una tifa de gos quan caminava per l'herba. I a més estava segur del lloc exacte on havia passat.

M'he tret la sabata i he anat fins al davant de la classe per parlar amb la profe Pope i explicar-li el problema.

Però em fa l'efecte que la Pope s'ha pensat que era una excusa per no haver de fer l'examen, perquè m'ha donat una bossa de plàstic per ficar-hi la sabata i m'ha dit que tornés al meu lloc.

Arribat aquell moment tots els xavals de la classe havien endevinat el que passava i s'han trencat de riure mentre m'assenyalaven.

Normalment això dels cagarros també em fa molta gràcia, però quan és algú altre que n'ha aixafat un, és clar.

Sobre aquesta qüestió recordo una anècdota genial. Era un quatre de juliol i els pares del Rowley ens van dur a veure els focs artificials. Vam haver d'arribar unes hores abans per trobar un lloc al parc on poder posar la nostra manta.

Un dels cavalls de la policia muntada es va cagar enmig del camí i el Rowley i jo ens vam passar tota la nit veient la reacció de la gent quan intentava no trepitjar la caca de cavall.

Allò sí que eren bons temps i temo que ara ja s'han acabat.

El que m'emprenya més de tot plegat és que si les coses anessin com cal, jo aniria a escola amb el Rowley, com cada matí, i ell faria la seva feina i m'avisaria si veia cap cagarada davant nostre.

Però el Rowley va i troba una novieta i jo m'he d'espavilar com pugui, i això és un patiment.

He escampat cagarrets per tota la classe i han hagut d'avisar el conserge Meeks perquè ho netegés. L'home, no parava d'enviar-me miradades assassines, i no podia concentrar-me en l'examen.

Un cop s'ha acabat la classe he anat a la secretaria per veure si podia trobar alguna cosa que m'ajudés. El secretari m'ha deixat fer una ullada als objectes trobats per veure si hi havia res que pugués substituir la meva sabata, però l'únic que s'hi assemblava remotament era una bota alta de noia.

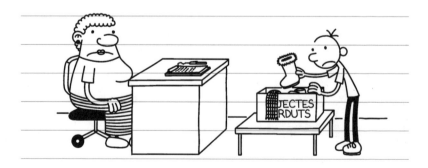

En aquell moment el Nern ha sortit de la sala de profes i el secretari li ha preguntat si tenia unes sabates de recanvi. El Nern ha dit que sí, que en tenia un parell al seu despatx, i les ha anat a buscar.

No m'hi havia fixat, mai, però el Nern té uns peus de gegant. Ara que, espero que el fet que m'hagi deixat les sabates no vulgui dir que hauré de continuar jugant a dames a l'hora de pati.

Dimecres

Com que no faig res amb el Rowley, quan surto de l'escola tinc molt més temps lliure. Ara, però, ja sé que no hauria de dir mai a la mare que no tinc res a fer.

Per això he decidit que val més estar-me al carrer després de l'escola perquè si no em toca fer feinetes domèstiques. La mare em diu que hauria "d'eixamplar per aquí horitzons" i fer nous amics al barri, però les possibilitats són més aviat limitades.

Unes cases més avall hi ha els xavals de la família Lasky, però el seu concepte de passar-s'ho bé és quedar-se amb calçotets i samarreta i organitzar una bona batussa davant de casa.

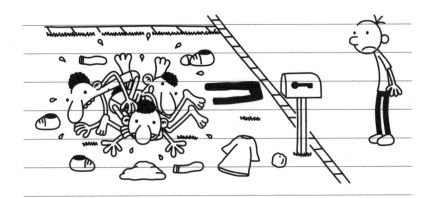

A l'altra banda del carrer, en diagonal, hi ha un
nano que es diu Mitchell Flammer, i em penso que
té un any menys que jo. Però no sé ni quina pinta té
perquè sempre l'he vist amb un casc posat.

Més enllà hi ha l'Aric Holbert, que va ser expulsat
tres setmanes de l'escola per actes de
vandalisme.

Va intentar negar-ho però no sé si valia la pena.

Si no, sempre hi ha el Fregley, que no viu lluny de casa. Si hi ha alguna cosa bona de tot aquest enrenou amb el Rowley és que fa setmanes que no he hagut de passar per davant de casa el Fregley.

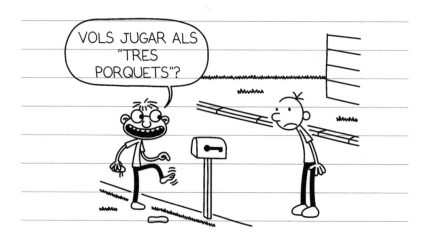

Per desgràcia, la mare sempre vol convidar el Fregley perquè vingui a "jugar" a casa nostra. Diu que li sap greu perquè veu que ell és un "noi solitari".

Tant de bo que la mare no les digués, aquestes coses, perquè em fan sentir culpable. I us asseguro que ja me'n sento prou, de culpable, quan veig el Fregley al pati, cada dia.

Avui, però, he tingut una idea extravagant: si em fes amic del Fregley podria emmotllar-lo a la meva manera.

Bàsicament, podria ensenyar-li totes les coses que m'agraden del Rowley per tal que les fes el Fregley. A més, el Fregley hi podria afegir alguna cosa de collita pròpia.

M'he fixat que a l'insti tots els xavals populars tenen sempre un amic una mica estranyot. Un dels paios que va amb el Bryce Anderson és un tal Jeffrey Laffley, i us puc assegurar que si el Bryce va amb el Jeffrey, ho fa per introduir un element còmic a l'escena.

EI, ALGÚ HA VIST LA MEVA HAMBURGUESA?

I a les noies mai no els agrada l'amic estranyot, per això el Fregley no em faria mai ombra.

El que passa és que he d'assegurar-me que quan el Fregley fa coses gracioses, les fa expressament. Perquè amb ell no se sap mai.

Avui, a l'hora de dinar he anat a buscar el Fregley i li he dit que podia seure a la nostra taula. Però anava tan enrere a la cua que ha acabat seient amb uns altres nanos al costat del lavabo de nois.

Per sort, com que el Fregley és primet, l'hem pogut enquibir a la nostra taula. El primer que li he explicat és com funcionaven les coses i li he parlat de la Regla dels Cinc Segons.

Estava explicant-li que pots agafar un tros de menjar que ningú no reclami quan, tot d'una, el Fregley se m'ha tirat al damunt i s'ha cruspit una patata fregida que jo tenia a la mà.

M'he emprenyat com una mona i li he dit que si aquella era la seva actitud se'n tornés a seure al costat de la porta del lavabo.

Li he explicat que, abans que ell pogués menjar-s'ho, algú havia de fer caure el menjar a terra. Em penso que ho ha entès, més o menys, i amb això ja ens hauríem de donar per ben pagats.

Mentre el Fregley dinava he revisat la seva llibreta, d'amagatotis, per veure què tal li sortia la lletra lligada. Però quan he vist el que hi havia a la primera pàgina, de seguida me n'he penedit.

A l'hora de la sortida he preguntat al Fregley si
volia fer el camí de casa amb mi. Li he dit que ell
havia de vigilar les caques de gos, també li he dit
que de tant en tant hauria d'arrossegar la meva
maleteta de rodes. D'entrada s'ha mostrat molt
ben disposat i la cosa anava força bé.

Però m'he distret i no he recordat que havíem de
canviar de vorera quan arribéssim a la vora del
bosc de la penya del Mingo. I tot d'una ens els hem
trobat a sobre perseguint-nos.

Els hem pogut despistar al principi del nostre carrer, però quan el Fregley m'ha tornat la maleteta m'he adonat que estava pràcticament buida.

Li he preguntat què havia passat amb els meus llibres i m'ha dit que els havia hagut de llençar quan la penya del Mingo ens perseguia. Li he preguntat per què ho havia fet i m'ha dit que tenia esperances que s'aturessin per llegir els llibres.

Total que aquesta prova del primer dia ha sigut més aviat un desastre. Ara que això del Fregley és un projecte a llarg termini i m'he de preparar i acceptar que no serà pas tan senzill com això.

Dijous

Aquest matí havíem quedat que aniríem junts a l'escola amb el Fregley però a dos quarts de nou encara no havia aparegut a casa. Total que he anat fins a casa seva i he trucat a la porta.

Ningú no ha contestat i quan ja estava a punt de marxar he sentit uns sorolls estranyíssims, com si caigués una bola de plom per les escales. De cop s'ha obert la porta i ha aparegut el Fregley.

M'ha explicat que s'estava vestint i que s'ha quedat
travat amb el jersei perquè se l'ha posat al revés.
He estat jo qui l'ha hagut d'ajudar a desfer l'embolic.

D'entrada ho he trobat molt empipador, però
després m'he adonat que és la mena de cosa
que la gent pot trobar divertida.

A l'hora de dinar he portat el Fregley fins a una de
les taules de les noies i li he dit que fes la parida del
jersei una altra vegada.

Per desgràcia hem escollit la taula equivocada perquè cap de les noies no ha rigut gens ni mica.

Li he preguntat al Fregley si sabia algun acudit i m'ha dit que no. Aleshores li he preguntat si sabia fer algun truc i s'ha tret un xiclet de la butxaca.

El Fregley s'ha tret la samarreta i s'ha posat el xiclet al melic. Com que jo no acabava d'entendre de què anava la cosa, he reculat unes quantes passes. I, a continuació, no és conya, ha fet com si el mastegués amb el melic.

No sé exactament què han pensat les noies però jo ho he trobat més aviat vomitiu. Aleshores el Fregley ha dit que faria una bombolla i que allò valia la pena de veure.

És clar que ja m'hauria pogut imaginar que no hi ha forma humana de fer una bombolla de xiclet amb el melic.

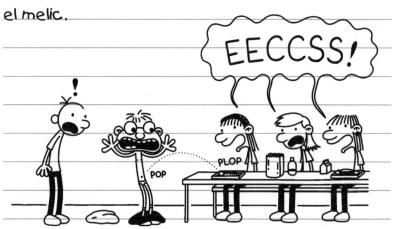

De seguida s'ha escampat la brama per tota la cafeteria, i tota l'estona del dinar els xavals de la classe han vingut a la nostra taula per veure què era capaç de mastegar el Fregley amb el melic.

Hi havia una concentració tan bèstia de paios que m'he quedat sense lloc per seure.

Total que el Fregley vivia el seu moment de glòria mentre jo em menjava el meu dinar al costat del lavabo de nois.

I això és una prova més que quan ets amable amb certa gent, així que poden, t'ignoren o et fan el buit.

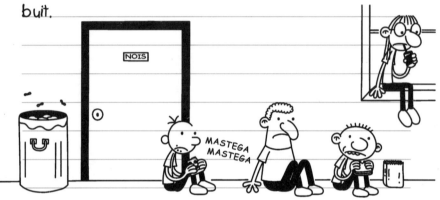

Divendres

Amb tot el que ha passat últimament a l'escola, ja tenia moltes ganes que arribessin les vacances de Pasqua. Em penso que això de tenir una setmaneta tota per a mi m'anirà la mar de bé.

Però aquesta nit el meu gran pla se n'ha anat a fer punyetes. Quan el pare ha preguntat a la mare quins plans teníem per a les vacances de Pasqua, ella ha dit que la seva família vindria de visita.

Una notícia així m'ha deixat al·lucinat i, pel que sembla, al pare també li ha fet el mateix efecte.

La mare mai no ens diu quan vindrà la seva família, perquè ja sap que si ens ho diu amb gaire antelació, tothom fuig esperitat.

La majoria de parents de la mare viu bastant lluny, per això no els veiem gaire sovint. A mi ja m'està bé perquè quan els veig necessito força temps per refer-me, després.

Estic segur que totes les famílies tenen embolics d'aquest tipus, però us puc assegurar que la parentela de la mare és una cosa dramàtica.

La mare té quatre germanes i totes són tan diferents que resulta gairebé impossible de creure que creixessin a la mateixa casa.

| TIETA | TIETA | TIETA | TIETA |
| GRETCHEN | AUDRA | VERÒNICA | CAKEY |

La germana gran de la mare és la Tieta Cakey, que no està casada ni té fills. De fet, això és una sort perquè es veu d'una hora lluny que no li agrada la canalla.

Una vegada, quan jo era petit, la tieta Cakey va venir a visitar-nos, i la mare va haver de sortir una bona estona i em va deixar sol amb ella. Em penso que la tieta mai no havia estat sola amb un xaval, perquè tota l'estona se la veia molt amoïnada.

Suposo que es pensava que jo trencaria alguna cosa, per això de seguida va apartar tot el que considerava fràgil. Després es va quedar allí, palplantada, per assegurar-se que jo no toqués res.

Al cap d'una horeta la tieta Cakey va dir que havia arribat el meu moment de la becaina. Li vaig intentar explicar que ja m'havia passat el temps de les becaines, però ella va dir que era de mala educació portar la contrària a una persona gran.

La tieta Cakey va dir que havia d'anar al pis de sota a planxar una estona i que em despertaria al cap d'un parell d'hores.

A continuació va apagar el llum i abans de tancar la porta va dir:

La idea de tocar una planxa roent no se m'hauria acudit mai, però com que la tieta Cakey m'ho va dir, no m'ho podia treure del cap. Vaja, que al cap de mitja hora ja em teniu al pis de sota com si anés a fer una missió secreta.

La tieta Cakey era a la sala d'estar mirant la televisió i vaig haver de passar d'esquitllentes fins a l'habitació de la rentadora.

Quan hi vaig ser, vaig agafar un tamboret que la mare feia servir per enfilar-se i vaig tocar la planxa amb tot el palmell.

No em pregunteu per què ho vaig fer. Vaig acabar amb cremades de segon grau i la mare mai més no va confiar en la tieta Cakey, i la veritat és que estic segur que a ella no li va saber gens de greu.

La germana petita de la mare, la tieta Gretchen, és l'extrem oposat de la tieta Cakey. La tieta Gretchen té dos bessons que es diuen Malvin i Malcom, i són un horror amb potes. De fet, com que estan tan passats de voltes, la tieta Gretchen els duu lligats amb una corretja.

Un cop que la tieta Gretchen va venir de visita, va portar tots els seus animals de companyia i allò semblava un zoo.

La tieta Gretchen va marxar uns quants dies per fer turisme i nosaltres ens vam haver d'ocupar dels seus fills i dels animals. De mica en mica la cosa es va descontrolar i el seu conillet va començar a tenir cries dos dies abans que tornés ella.

El pare estava empipat com una mona perquè la tieta Gretchen ens havia dit que el conill era mascle.

Home, els seus animals a mi no em molesten, però els seus fills ja és una altra història.

En aquella mateixa visita, el Malvin i el Malcom van posar-se a jugar a un joc d'atrapar la pilota, però la pilota era un tros de ciment.

He d'admetre que a la meva vida he fet moltes rucades, però diria que mai no he arribat a aquests nivells d'idiotesa.

La mare va haver de dur el Malvin a urgències perquè li posessin punts al cap, i el responsable d'aquella desgràcia era el Malcom, és clar.

Quan la mare no hi era, no em pregunteu com, el Malcom va aconseguir agafar els estris d'afaitar del pare i quan el vam trobar ja ho havia fet tot malbé.

El pare va dir que la propera vegada que la tieta Gretchel i els seus fills ens vinguin a visitar, ell se n'anirà a un hotel. Però la mare va dir que som una família i que la família sempre ha de "romandre unida".

Ara que ja us puc assegurar que la que no vindrà per Pasqua serà la tieta Verònica. Fa cinc anys que no es presenta a cap reunió familiar, o almenys no en persona. Em penso que això de la família l'atabala i prefereix aparèixer en format de videoconferència.

De fet, diria que no l'he vista de debò d'ençà que jo tenia tres o quatre anys.

Un estiu ens vam reunir tots per a una festa de noces a l'aire lliure. La cerimònia va durar unes dues hores i feia una calor espantosa, i em vaig fixar que la tieta Verònica es va passar tota l'estona jugant a jocs d'ordinador.

L'única tieta de qui no he parlat és de la tieta Audra.
És d'aquella mena de persones que creuen en
boles de cristall i horòscops i coses així. No alça un
dit sense consultar-ho abans a una endevinaire.

I això ho sé de primera mà perquè fa uns quants
estius vaig ser a casa seva.

Quan la mare es va assabentar que la tieta Audra
m'havia dut a casa l'endevinaire es va enfadar
molt. Va dir que tota aquesta comèdia de predir el
futur era cosa de xarlatans i que la tieta Audra
malgastava els diners.

Era ben propi de la mare, això.

No sé pas què s'ha d'estudiar per esdevenir un endevinaire, però no crec que s'hagi de pencar gaire. Pensant-hi bé, potser valdria la pena que m'ho plantegés com a possible sortida professional.

Em sorprèn que la mare digui aquestes coses sobre els endevinaires perquè és ella qui afirma que l'àvia té poders especials. No sé pas si això és cert, però el cas és que si l'àvia té poders especials, temo que no els fa servir amb tot el seu potencial.

ESCOLTA, ÀVIA, QUIN ET SEMBLA QUE SERÀ EL NÚMERO PREMIAT DE LA LOTERIA D'AQUESTA NIT?

NO HO SÉ, PERÒ PUC "PREDIR" QUE AQUESTES GALETETES T'AGRADARAN!

Si voleu que us sigui sincer, no sé fins a quin punt hi crec, en aquestes coses. I a més us puc dir que mai no m'han ajudat gens, a mi.

Quan tenia vuit anys vam anar de càmping i ens vam aturar en una botigueta que venia tota mena de records i amulets de la bona sort.

El pare em va donar tres dòlars per comprar-me una pota de conill, que teòricament m'havia de dur bona sort.

Però en aquella mateixa excursió em vaig mig intoxicar amb alguna cosa que vaig menjar i em vaig fer un esquinç al turmell. Per això vaig decidir que llençaria la pota de conill.

Vaig fer rebé, perquè allò de dur una pota de conill a la butxaca em provocava molt mal rotllo. Sabia que si algun dia guanyava la loteria i era gràcies a la pota de conill, no seria capaç d'alegrar-me'n.

EI, TU, ENHORABONA, EH?!

Sempre que el pare deixa el diari a la taula de la cuina ho aprofito per fer una ullada al meu horòscop. Però mai no trobo cap mena d'informació que em pugui fer servei.

> Quan Saturn s'alineï amb Júpiter malfia't d'un foraster que portarà males vibracions. Mentrestant, una persona per la qual senties una flaca t'admira des de la distància. Els teus números de la sort són: 1,2, 4, 5, 7, i el 126.

I les galetes de la sort encara són pitjors. Abans sempre anàvem a un restaurant xinès la nit de Nadal i a mi em feia molta il·lusió de desembolicar la meva galeteta de la sort per saber el que em duria el futur.

Vet aquí el que vaig trobar dins la galeta l'últim cop que hi vaig anar:

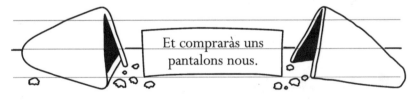

Et compraràs uns pantalons nous.

Vull dir que no s'hi maten, a l'hora d'escriure les seves prediccions, no trobeu?

103

El que de debò necessito és que em diguin exactament el que he de fer, així no cal que m'ho empesqui jo. Fins ara he sigut jo qui ha pres les decisions i us puc assegurar que els resultats no han sigut gens espectaculars.

Dimecres

Abans me n'alegrava, quan venia la parentela de la mare a visitar-nos, perquè era una bona manera de fer-me una mica de pasta.

Una vegada estava a la cuina dibuixant i la mare em va dir que per què no intentava vendre els meus dibuixos als parents.

Va funcionar de meravella. Feia un dibuix d'una casa o d'una tortuga i després el venia a algú de la família per cinc dòlars.

ÒNDIA, GREGORY, ETS UN ARTISTA COM **UNA CASA!**

Quan sabia que havíem de tenir visita familiar, dibuixava com un boig per tenir una bona pila de dibuixos abans que arribés la parentela. Un cop, per a la celebració del Dia d'Acció de Gràcies, vaig dibuixar tant que ho vaig vendre tot per vuitanta dòlars.

De fet allò era una manera tan fàcil de fer pasta que em vaig plantejar seriosament convertir-ho en la meva professió ja per sempre més.

Però a mesura que em vaig fer més gran, els parents van perdre el seu entusiasme pels meus dibuixos i ja no hi havia manera que afluixessin la mosca.

I encara no he descobert si va ser per culpa de voler vendre els dibuixos massa cars o pel fet de tenir sempre els mateixos clients familiars.

I encara pitjor, perquè quan el Manny va començar a vendre els SEUS dibuixos, els parents semblaven caixers automàtics.

I ara us diré una cosa que em sembla important: quan faig un dibuix m'hi esforço tant com puc. En canvi el Manny fa un parell de gargots en dos minuts i no em feu dir què signifiquen aquells dibuixots.

I això demostra que hi ha gent que té una mica de gust artístic i d'altres que gens ni mica.

Dijous

Al final, aquest any, per Pasqua, tornarem a passar un dia a casa l'àvia. És un rotllo i un avorriment per als nens. L'únic que s'assembla remotament a una joguina és un elefant de peluix que es diu Ellie.

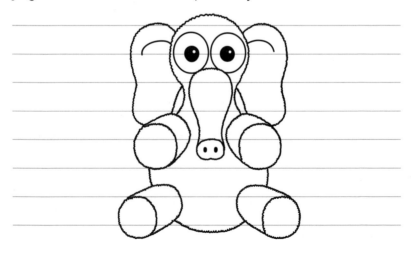

L'àvia el va comprar per al nostre gos Dolcet, que ara viu amb ella.

Però el Dolcet el va deixar fet una desgràcia el primer dia que el va tenir: fora orelles, braços, trompa i potes. Ara ni tan sols es pot saber que és un elefant.

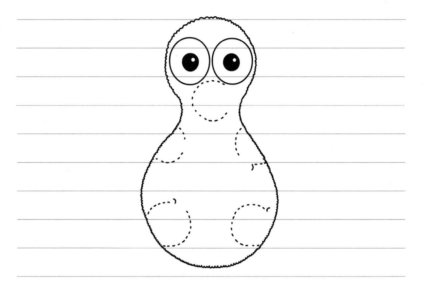

Si ets un nen aquesta és l'única cosa amb què et pots entretenir a casa l'àvia. I us puc assegurar que jugar amb aquella mena d'elefant supervivent de no sé quin desastre és la cosa més avorrida del món.

Tot plegat no seria tan avorrit si el nostre gos Dolcet fos capaç de jugar com ho feia abans. Però l'àvia l'ha afartat tant de menjar i de sobres dels àpats que la pobra bèstia sembla més aviat una pilota amb potes.

I el que em deprimeix profundament és que l'àvia el vesteix com si fos una personeta.

De tant en tant, quan ens reunim a casa de l'àvia intentem passar-nos-ho bé amb el Dolcet.

Una nit vaig descobrir que si t'amagues darrere seu quan està dormint i fas un soroll amb la boca, com un pet, ell dreça les orelles.

Després d'això el Dolcet s'olora el cul durant cinc minuts i es torna a adormir.

El Rodrick i jo repetim això un cop i un altre, i el Dolcet sempre reacciona exactament de la mateixa manera. Però un cop que el pare ho va voler provar, la cosa no va sortir gens bé!

Tot i que casa de l'àvia és avorrida, per Pasqua ens divertíem força. Quan l'àvia Meemaw encara vivia, organitzàvem una gran cacera d'ous de Pasqua a casa seva.

MEEMAW

La Meemaw era la mare de la mare. No vull ser mal educat amb la Meemaw, però si algun dia tinc néts, seré jo qui decideixi com m'han de dir i no pas ells.

I em penso que escolliré alguna cosa molt normaleta, com "avi" o "iaio", perquè no vull acabar sent el portador d'un nom totalment idiota la resta dels meus dies.

Estic segur que el meu besavi preferiria que li diguessin d'una altra manera, però té noranta-tres anys i temo que ara ja ha fet tard.

Bé, la qüestió és que la Meemaw s'encarregava de ficar els premis dins dels ous de plàstic per a la cacera dels ous de Pasqua. Normalment hi ficava caramels o unes monedetes, però de vegades se sentia més generosa i hi ficava algun bitllet de cinc dòlars.

Després amagava els ous per casa seva o al pati del darrere.

Després del gran esmorzar dinar de Pasqua els nens sortíem al pati amb la intenció d'omplir les nostres cistelles amb tants ous com poguéssim arreplegar.

La Meemaw normalment s'excedia amb els ous i n'amagava més del compte. De fet, estic convençut que si ara mateix sortís al pati de l'àvia encara trobaria prou ous per omplir un cistell.

De vegades trobo ous a casa l'àvia, amagats en un armari o entre els coixins del sofà. Fa unes quantes setmanes el vàter de l'àvia es va espatllar i quan el pare va mirar dins la cisterna, va trobar-hi un ou de plàstic rosa que devia fer anys que surava allí dins.

Quan la Meemaw es va fer més gran ja no hi tocava gaire i de vegades posava les coses més inversemblants dins dels ous de plàstic.

Un any vaig trobar una mongeta tendra, un tap i un clip dins dels meus ous. Va ser el mateix any que el Manny va trobar un tros de fil dental dins del seu ou.

I us puc dir per experiència que un kleenex fet servir fa exactament el mateix soroll que un bitllet de cinc dòlars quan és dins d'un ou de plàstic.

L'última caça d'ous de Pasqua va ser l'any que la Meemaw es va morir. Al funeral la mare es va adonar que la Meemaw no duia posat el seu anell de casament, el de diamants.

Es va produir un pànic general perquè aquell anell pertanyia a la família des de feia tres generacions, i, pel que sembla, valia molts diners.

Després del funeral la família en pes va anar a la residència on la Meemaw i el Peepaw havien viscut i van remenar-ho tot, de dalt a baix, però no van trobar l'anell enlloc.

Després la cosa va anar de mal en pitjor. La tieta
Beatrice va acusar la seva germana, la tieta àvia
Martha, d'haver pispat l'anell. La tieta Gretcher va dir
que la Meemaw li havia promès l'anell, i que si algú
el trobava, el primer que havia de fer era donar-l'hi.

I, tot d'una, la família es va embolicar en una batalla
verbal espantosa.

Així és com va acabar la cosa l'últim cop que vam
estar tots reunits, i vet aquí la raó per la qual no hi
ha hagut més trobades familiars.

Em penso que tota aquella història de l'anell va deixar la mare molt trasbalsada. Sempre diu que tant de bo ningú no trobi mai l'anell de la Meemaw, perquè si algú el trobés allò podria ser una catàstrofe per a la família.

Però si això significa que no rebrem més visites de la tieta Gretchen i els seus fills, a mi ja m'està bé, la veritat.

Diumenge

A mi m'agraden més les vacances de Nadal que les de Pasqua.

Per Nadal, així que arribes a casa després d'anar a missa del gall, et pots relaxar al cent per cent.

Però per Pasqua has de continuar portant el vestit de diumenge tot el dia, o almenys a casa funciona així. Avui hem anat directament de l'església a casa de l'àvia, i jo ja no podia més de la maleïda corbata.

A més estava nerviós perquè tenia por que tothom reprengués les coses tal com les havien deixat després del funeral de la Meemaw, però tothom semblava haver-ho oblidat.

Mai no m'he sentit gaire còmode en una habitació plena de parentela. Com que són gent que només veig un o dos cops l'any, i n'hi ha un munt, mai no puc recordar com es diuen tots. Però ells sí que se'n recorden, del meu nom.

Sempre intento esmunyir-me ràpidament de la zona del rebedor per trobar algun raconet amb menys gent.

L'estratègia del Manny és diferent, ell, quan hi ha una reunió familiar, fa veure que no parla. He d'admetre que em fa una mica d'enveja i tant de bo se m'hagués acudit això fa molt de temps.

Jo estava convençut que després de tot el rebombori de l'anell de diamants no es presentaria gaire gent a la trobada familiar, però ha sigut l'any amb més personal.

A més dels típics oncles i tietes que apareixen en aquestes celebracions, també hi havia una colla de cosins de la mare.

El cosí Gerard havia vingut de Califòrnia. Pel que
sembla, va viure uns mesos amb la meva família
poc després que jo nasqués, però la veritat és que
no entenc per què m'ho ha de recordar cada cop
que em veu.

> JO ET
> CANVIAVA ELS
> BOLQUERS!

La cosina Martina també hi era i ella no havia
aparegut a cap reunió familiar des del dia que va
tenir sort a Las Vegas.

Diu la llegenda que un matí la Martina estava
esmorzant al bufet de l'hotel i es va adonar que
a la sala del costat hi havia més menjar.

Però quan anava cap a l'altra sala va veure que no
hi havia cap altra sala.

Era un gran mirall que reflectia la sala on era ella.

La Martina es va trencar la clavícula i va demandar l'hotel. Per això estic pràcticament segur que el Porsche que hi ha aparcat davant de casa l'àvia és seu.

L'oncle Larry també ha vingut a casa l'àvia. Em penso que no és ben bé parent de ningú, però algú va començar a convidar-lo a les celebracions familiars i des d'aleshores mai no falla.

ENDEVINEU QUI HA ARRIBAT? L'ONCLE LARRY!

Ei, que l'oncle Larry no és mal paio, però sempre té la mania d'escarxofar-se a la butaca més còmoda de casa l'àvia i no és mou fins que no és hora de marxar.

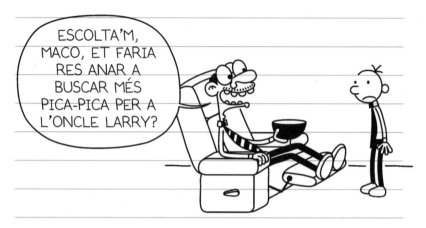

Les dues germanes de l'àvia també han vingut aquest any, tot i que no se suporten. Cada Nadal s'intercanvien regals però em penso que l'única raó per fer-ho és per veure qui pot ofendre més l'altra amb el pitjor regal.

Per Pasqua a casa l'àvia tens bàsicament tres maneres possibles de distreure't: pots seure a la sala d'estar i mirar golf a la tele amb els homes, pots anar a la cuina i parlar amb les dones o anar al soterrani i estar amb els petits.

Com que cap d'aquestes opcions m'engresca prou, opto per tancar-me al lavabo fins que és l'hora de l'àpat.

L'esdeveniment més important de Pasqua és l'esmorzar dinar. Abans tota la família solia seure al voltant d'una gran taula al menjador, però ara que la família ha crescut acostumem a fer un racó de grans i un altre de petits. La taula dels grans és al menjador, i la dels petits és a la cuina.

A mi ja m'estava bé que la cosa hagués canviat, perquè recordo que quan sèiem tots plegats sempre acabava al costat d'algú que estava molt més interessat en la meva vida que jo mateix.

VEJAM, EXPLICA'M TOT EL QUE HAS APRÈS A SOCIALS AQUEST ANY!

A més, quan sèiem tots junts, la mare em feia menjar coses que a mi no m'agradaven. Sempre em diu que he de tastar l'amanida de patates, i jo no m'hi negaria, però resulta que fa servir el mateix bol que fem servir quan estem malalts.

No m'agrada gens dinar al menjador de l'àvia perquè tot és massa formal, i això fa que tothom actuï d'una manera molt seriosa.

Fa uns anys el Peepaw es va passar gairebé tot l'àpat amb un fil de mongeta que li penjava de la boca. Això ja era prou divertit però quan li va caure dins del got d'aigua aleshores sí que no vaig poder aguantar-me el riure.

Em pensava que tothom es moriria de riure, però ningú més ho va fer. El pare em va llançar una mirada assassina i vaig copsar que valia més que em quedés quietet i que em mengés el pernil que tenia al plat.

Des d'aquell dia, sempre que passa alguna cosa divertida faig tot el que puc per no riure. Em pessigo les cuixes o em mossego el llavi, però de vegades ni així no em puc aguantar.

Un any, quan el Peepaw va bufar les espelmes del seu pastís d'aniversari, li va sortir la dentadura disparada.

Vaig fer tants esforços per no riure que em pensava que tindria una hemorràgia interna o que m'explotarien els ulls.

I el pitjor és que acabava de beure un bon glop de batut de xocolata i havia de contenir-me per no bavejar damunt del plat.

Vaig intentar de pensar en alguna cosa molt trista, però l'únic que em venia al cap era el Dolcet amb el seu jersei. I un pensament en porta un altre i ja no vaig poder aguantar més.

De fet, ara que hi penso, crec que va ser per culpa d'allò que a partir d'aleshores els xavals mengem a la cuina.

No estic segur de quin sistema fan servir per decidir qui és gran i qui és petit, perquè l'oncle Cecil seu a la taula dels grans. Ja sé que pot semblar com si l'oncle Cecil fos una persona gran, però en realitat només té tres o quatre anys.

La meva tia àvia Marcie el va adoptar fa uns anys i això significa, més o menys, que ell és el meu oncle. Però tot plegat resulta una mica estrany, de vegades.

Jo establiria aquesta norma: si necessites un coixí alt i especial per seure a taula, això et qualifica automàticament com a petit. Però l'oncle Cecil seu a la taula dels grans. En canvi, el Rodrick, que ja és pràcticament un adult, seu a la nostra taula, amb els xavals.

Avui m'he assegurat de seure ben lluny del Malvin i del Malcom, però al final he acabat al costat d'una cosina segona que es diu Georgia, i que tenia una dent que li estava a punt de caure.

GEORGIA

Aquella dent ja estava així l'últim cop que la vam veure, i parlo d'anys, eh? Tothom a la família intenta convèncer-la perquè se la deixi arrencar però no hi ha manera.

M'HO *ESBIC* PENSANT

Quan jo tenia una dent a mig caure m'aterria la idea que algú me l'arranqués. La mare es passava setmanes intentant convence'm, però a mi em feia massa por. Un dia em va dir que si em queia mentre dormia me la podia empassar i que allò sí que era perillós.

Però jo ja sabia que no era veritat, perquè una setmana abans el Manny s'havia empassat un dels seus minicotxes de joguina i va sobreviure.

Però el pare va començar a atipar-se de la meva
dent a punt de caure i es va decidir a prendre la
iniciativa. Em va dir que em volia ensenyar un truc
de màgia, va lligar un fil a la dent que ballava
i l'altra punta al pom de la porta. No sabia el que
m'esperava fins que ja va ser massa tard.

Després de veure la Georgia tocant-se la dent amb
la llengua sense parar durant quaranta-cinc minuts,
he anat al menjador perquè sé que l'àvia hi guarda
la capsa dels fils.

Però quan hi he entrat m'he quedat sorprès en
veure que molts dels grans eren allí i estaven
repassant els àlbums de fotos de l'àvia.

Pel que m'ha semblat entendre, l'endevinaire de la tieta Audra li va dir que l'anell de diamants de la Meemaw era dins d'un àlbum de fotos familiar, i quan la resta de la parentela ha sentit allò, tots s'han posat com una moto.

Aleshores algú ha suggerit que el que volia dir l'endevinaire és que l'anell no estava literalment dins d'un dels àlbums, i a continuació tots s'han posat com bojos buscant pistes a les fotos. Al cap d'un parell de minuts alguna cosa ha cridat l'atenció de l'oncle Larry.

L'oncle Larry ha assenyalat una sèrie de l'última Pasqua que vam passar plegats. En una foto la Meemaw portava un diamant i a la següent ja no el tenia.

Preparació de la cacera dels ous de Pasqua

La famosa compota de poma de la Meemaw

No calia ser cap geni per endevinar on havia anat a parar l'anell. Quinze segons més tard tothom s'havia afanyat cap al pati de darrere, buscant desesperadament els ous de plàstic de la Meemaw.

M'imagino que si l'anell era dins d'un ou tothom pensava que qui se'l trobés se'l podia quedar. La mare ha intentat que tots tornessin a dins per menjar les postres, però no hi ha hagut manera.

Era una visió bastant patètica veure com anaven d'adelerats tots els grans, i he de confessar que jo també m'he deixat arrossegar per l'excitació general. Mentre tothom buscava l'ou a fora jo el buscava a dins de casa.

Però quan la mare m'ha enxampat remenant el calaix de roba interior de l'àvia m'he adonat que probablement m'estava passant de la ratlla.

Em penso que la mare començava a estar mosca davant d'aquella bogeria general i ha dit que nosaltres marxàvem cap a casa.

Pel que sé, ningú no ha trobat l'anell. Però mentre ens allunyàvem encara he vist que uns quants continuaven la cerca.

HAS MIRAT DINS D'AQUESTS ARBUSTOS?

Normalment quan la tieta Gretchen i els seus fills es queden amb nosaltres s'hi estan una setmana. Però aquest cop la cosa només ha durat un parell de dies.

Això és perquè després del que va passar ahir a la nit el pare els ha dit que valia més que se n'anessin. A l'hora de sopar ens havíem quedat sense quètxup i el Malcom va agafar el telèfon i va trucar al 112 per denunciar-nos.

Als pares els va costar dues hores convèncer la policia que no havia passat res.

El pare va donar l'ultimàtum a la tieta Gretchen i els seus fills, que van marxar cap a casa l'àvia.

I estic segur que això ja els està bé, així tindran més temps per buscar l'ou de Pasqua.

Estic content que hagin marxat perquè he recuperat el meu llit. Durant dues nits he hagut de dormir a l'habitació del Rodrick, en un matalàs inflable que perdia aire pels quatre cantons.

Per més que l'inflés abans d'anar a dormir, al matí allò ja estava pla com una post de planxar.

Ahir, quan em vaig despertar al terra de l'habitació del Rodrick, vaig detectar una cosa sota el seu llit mentre em vestia.

Era una d'aquelles Boles Màgiques. Em penso que algú la va regalar al Rodrick fa temps i ell ni se'n deu haver adonat que va desaparèixer sota el llit.

La veritat és que la troballa m'ha engrescat perquè mai no havia tingut ocasió de jugar amb una cosa d'aquelles.

El sistema per utilitzar una de les Boles Màgiques és que li fas una pregunta, després la sacseges i esperes fins que apareix una resposta a la banda del darrere.

Com que tenia curiositat per veure si funcionava, la vaig provar. Vaig pensar una pregunta, superconcentrat, i després la vaig sacsejar amb força.

Al cap de pocs segons, això és el que va aparèixer a la finestreta:

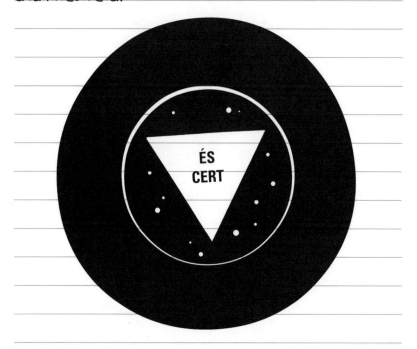

He de confessar que em vaig quedar de pasta de moniato. Em vaig voler assegurar que funcionava correctament i vaig fer algunes preguntes més.

I cada vegada la Bola Màgica número 8 la clavava:

Fins i tot quan intentava enganyar la bola, la resposta que vaig rebre era força assenyada.

Aleshores m'he adonat que, si les respostes eren tan bones, la podia fer servir per demanar consell.

D'entrada he preguntat a la Bola Màgica número 8
si calia que em dutxés i si havia d'acabar
l'esborrany del meu treball de Ciències. Per a la
qüestió d'higiene he rebut un "sí", però pel que fa
al meu treball la bola m'ha donat carta blanca.

Veieu, això és el que he trobat a faltar últimament.
Ara que ja tinc una cosa que m'ajuda a prendre
petites decisions em puc concentrar en les grans
qüestions.

A l'escola hem après que l'Albert Einstein sempre
duia la mateixa roba perquè així no li calia malgastar
energia mental en les qüestions de vestimenta.

I això és exactament el que la bola farà per mi.

De fet, després de fer servir la Bola Màgica
número 8 tot un dia no puc entendre com m'ho
feia abans de tenir-la.

Dijous

Després d'estar jugant amb la Bola Màgica
número 8 uns quants dies he descobert que té les
seves limitacions. Però això no vol dir que la deixi
córrer, encara no. He intentat fer-la servir per als
deures de mates uns quants cops, però a l'hora de
donar respostes concretes la cosa no xuta.

A més, de vegades quan necessites una resposta
precisa de la Bola Màgica número 8 et pot deixar
totalment penjat.

Avui, quan tornava cap a casa, un de la penya del
Mingo m'ha començat a perseguir amb un pal. He
preguntat a la Bola Màgica número 8 si havia
d'escapar-me o barallar-m'hi.

Però la Bola Màgica número 8 no es decidia.

Més tard la Bola Màgica número 8 s'ha portat com calia. La mare m'ha dit que últimament em quedava massa a dins de casa i que necessitava una mica d'exercici i aire fresc.

Quan la mare ha sortit de l'habitació he preguntat a la Bola Màgica número 8 si havia de fer cas a la mare i la resposta ha sigut claríssima.

Per això m'he amagat a l'armari de la mare, perquè sabia que seria l'últim lloc on em buscaria.

Mentre era allí dins amagat m'he fixat en una pila de llibres que hi havia a la part de dalt de l'armari.

Estaven amagats darrere les capses de sabates, per tant era evident que la mare no volia que ningú els veiés. D'entrada no he entès per quins set sous els amagava a l'armari, però quan n'he llegit els títols la cosa ha quedat molt clara.

Aquests llibres constitueixen bàsicament les armes secretes de la mare, i no vol que nosaltres en sapiguem res, de tot això.

Els he fullejat i de seguida m'he adonat d'un munt de coses. N'he trobat un que parlava d'un concepte molt flipant anomenat "psicologia inversa".

El concepte és que pots aconseguir que el teu fill faci el que tu vols dient-li el contrari. Ara m'adono que els pares fa un munt d'anys que utilitzen aquesta tècnica.

Quan era petit sempre implorava als meus pares que em deixessin rentar els plats, però em deien que era massa jove per ajudar-los.

Finalment, quan vaig fer vuit anys em van deixar que eixugués els plats i jo estava tan content que semblava que m'haguessin donat un milió de dòlars. Ara entenc que tot plegat va ser una enganyifa, i el Rodrick devia caure en la mateixa trampa.

Hi havia llibres per a tota mena de situacions i problemes que els pares tenen a l'hora de criar els fills. Sempre m'havia preguntat d'on treia les seves teories pedagògiques, la mare, i ara ja ho entenc.

A nou anys vaig trobar un cuc que s'arrossegava per l'escala de l'entrada i de nom li vaig posar Retorçat. El vaig ficar dins d'un pot de vidre i en vaig foradar la tapa.

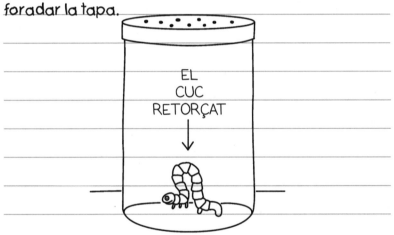

EL
CUC
RETORÇAT

Cada dia el deixava sortir una estona per tal que pogués fer una mica d'exercici.

En aquella època el Manny ja començava a caminar i allò va ser mala sort per al Retorçat.

Em va saber molt de greu i aquella nit la mare va venir a la meva habitació a parlar.

Em va dir que no havia d'estar trist perquè el Retorçat havia anat al "cel dels cucs" i que allí sempre hi feia solet i hi havia moltes cosetes bones per menjar per als cucs. He d'admetre que allò em va fer sentir molt millor.

Doncs bé, avui he trobat exactament d'on va
treure aquella idea.

Un dels llibres de la llibreria secreta de la mare feia
pinta de ser bastant nou i li he donat una ullada. De
sobte he començat a entendre moltes coses.

A l'armari de la mare he trobat la resposta a uns quants misteris. Quan anava a la guarderia tenia una mena de mico de peluix que es deia Pessigolles i que sempre dormia amb mi.

Aquell estiu, quan vam anar de vacances a la costa, em vaig endur el Pessigolles. Però una tarda, quan vam tornar a l'habitació de l'hotel el Pessigolles havia desaparegut.

La mare em va dir que la cambrera el devia haver agafat sense voler quan havia canviat els llençols, per això vam anar a on feien la bugada per veure si el trobaven a la rentadora o dins de l'assecadora.

Però no el vam trobar enlloc. I jo ja estava que m'enfilava per les parets i vaig dir a la mare que havia de fer uns cartells i enganxar-los per tot l'hotel.

L'HEU VIST?

NOM: PESSIGOLLES

ALÇADA: DOS PAMS

VIST PER ÚLTIM COP:
AL MOTEL VISTES
OCEÀNIQUES

RETORNEU-LO A:
RECEPCIÓ DEL MOTEL
VISTES OCEÀNIQUES

L'endemà vam anar a la platja, però jo estava molt amoïnat sense el Pessigolles.

El pare va jugar en una d'aquelles paradetes de fira i va guanyar un animal de peluix que podia substituir el Pessigolles, però, és clar, no era pas el mateix.

La pèrdua del Pessigolles ens va espatllar les vacances i fins i tot vam tornar a casa un dia abans. Em vaig adormir i quan em vaig despertar, l'endemà, el Pessigolles estava assegut damunt de la meva calaixera.

La mare em va dir que el Pessigolles devia haver trobat tot solet el camí fins a casa. I això és el que vaig creure durant molt de temps.

Però resulta que, amagats darrere dels llibres de la mare, hi havia cinc micos de peluix exactament iguals que el Pessigolles.

I això vol dir que després que jo perdés l'original, la mare devia haver-ne comprat una colla de substituts.

Vés a saber quina versió del Pessigolles seu al prestatge, a hores d'ara.

De fet, si hi penso bé, ara recordo que una vegada la mare va haver de rentar el Pessigolles perquè l'havia tacat de la llet amb cacau que li vaig abocar al damunt, sense voler. Quan va obrir la rentadora semblava que allí dins s'hagués produït l'explosió d'un coixí.

Però aquell vespre, després de banyar-me, el
Pessigolles tornava a ser al meu llit, com si res. Total,
que el de la meva habitació podria ser el de quarta
o cinquena generació.

I això també explica per què el Manny dorm amb
deu dinosaures de peluix cada nit.

Abans en tenia un que es deia Rexy, però estic
segur que el Manny va descobrir l'amagatall de la
mare molt abans que jo.

Volia continuar explorant l'armari de la mare per veure què més hi trobava però he sentit que pujava del pis de sota i he hagut d'esmunyir-me amb discreció.

Ara que ja sé on són els llibres educatius de la mare, això em permetrà d'anar per davant seu i planejar també les meves estratègies. Per tot això he de donar les gràcies a la Bola Màgica número 8.

Dimarts
Aquest vespre he volgut provar si les astúcies dels llibres de la mare també funcionen amb els adults.

Fa segles que demano un telèfon mòbil a la mare però ella sempre em diu que ja en tinc un. Del que ella parla és d'un mòbil Marieta Roja, una mena d'horror que és més aviat una joguina per a nens de pàrvuls.

Total que quan el Rodrick i jo estàvem rentant els plats he provat sort per fer una mica de psicologia inversa amb els pares.

LA VERITAT ÉS QUE NO VULL EL MEU PROPI MÒBIL, PERQUÈ ÉS MASSA RESPONSABILITAT.

No sabia com aniria la cosa però m'he quedat parat de la rapidesa amb què ha funcionat. Després de dir-ho la mare ha vingut a la meva habitació i m'ha dit que ja era hora de comprar un mòbil millor i que a mi em donaria el seu mòbil vell.

Però abans d'entregar-me'l m'ha dit que hi havia unes quantes "normes bàsiques". Hauria de compartir el mòbil amb el Manny perquè ell el fa servir per a jocs pedagògics.

També m'ha dit que no puc enviar missatges de text als meus amics.

La veritat és que això no serà cap problema perquè no tinc cap amic. Compartir el mòbil amb el Manny pot resultar més fotut.

El que li agrada, al Manny, és fer fotos amb el mòbil de la mare però justament el que jo no vull és barrejar les seves fotos amb les meves.

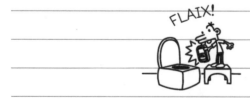

Tot i això, estic molt content de poder tenir un mòbil com cal.

D'entrada m'he passat una bona estona personalitzant el fons de pantalla i els tons de trucada. Però quan ho estava fent, m'ha entrat un missatge de l'àvia que era evident que anava dirigit a la mare.

Missatge de la
Mama

Podries demanar al Frank que vingués aquest cap de setmana amb els nois per baixar el piano al soterrani?

La mare m'ha dit que no podia enviar missatges als meus amics però no m'ha dit res dels parents.

Ho sento, pare / fills tenen plans *aqust* cap de *stmana*.

Després de solucionar això, m'he baixat un munt de jocs i he començat a passar-m'ho bomba.

Però enmig del joc, ha aparegut la tieta Verònica en un xat de vídeo.

L'última cosa que esperava veure en la intimitat del vàter era la cara de la tieta Verònica.

Per això, se m'ha d'excusar si m'he deixat portar per la sorpresa.

He pescat el telèfon de la tassa del vàter i l'he eixugat tan bé com he pogut. Però no hi ha hagut res a fer: no funcionava.

Em sap greu haver-lo espatllat però en defensa pròpia he de dir que ja havia advertit els pares que encara no estava preparat per assumir aquella responsabilitat.

<u>Dimecres</u>

N'estic tip, de tenir por cada vegada que he de passar pel bosc de la penya del Mingo, però m'he adonat d'una cosa: ells només es fiquen amb els xavals a l'hora que surten de l'escola. Per això he decidit que m'hauré d'esperar fins més tard.

El que necessito és, alguna cosa per matar el temps un cop s'acaben les classes. Hi ha un munt d'activitats extraescolars, però fins ara mai no m'havien interessat.

Club de mates

Club de teatre

Club de relacions internacionals

Club de poesia

El club de jocs de taula feia bastant bona pinta, però qui el porta és el profe Nern i ja en vaig tenir prou amb un any de classes.

Avui, després de classes, he anat a veure si hi feien res d'interessant.

Hi ha el club de baralles de coixins, però amb una ullada a la sala on ho feien n'he tingut prou per veure que allò no feia per a mi.

Hi ha un seguit de clubs que són raríssims, com per exemple el club d'abraçades per a tothom, que ha engegat tot just aquesta primavera.

Com que no sabia què triar, ho he deixat en mans de la Bola Màgica número 8. He passat per davant de totes les portes on feien les extraescolars i cada vegada he sacsejat la Bola Màgica número 8.

He obtingut uns quants "no", alguns "pregunta-m'ho més tard" i per fi un claríssim "Sí, de totes, totes", davant de la porta del club de l'àlbum de final de curs.

Hi he entrat. Tot feia pensar que estaven a mitja reunió.

M'he posat al fons de la sala i he esperat que acabessin, aleshores he anat a l'editora en cap, la Betsy Buckles, i li he dit que volia participar-hi.

M'ha dit que l'àlbum d'aquest curs ja està gairebé acabat, però que necessiten més fotos a l'apartat de "fotos sorpresa", i que l'escola estava disposada a pagar cinc dòlars per cada foto que es publiqui a l'àlbum, i allò m'ha convençut del tot.

Si amb això puc evitar la penya del Mingo i a sobre em faig una pasta, em puc donar per ben pagat.

<u>Dijous</u>

Avui ha sigut el meu primer dia com a fotògraf de l'àlbum de final de curs i he de dir que no ha sigut tan fàcil com em pensava. Volia fer bones fotos però, si us he de dir la veritat, els xavals de la meva escola no fan res interessant.

He intentat fer la feina de fotògraf tot fent alhora de bon alumne, però això resulta difícil.

Tenia esperances que algú faria una parida monumental i que això em proporcionaria una bona foto. Però per alguna raó misteriosa, tothom es portava la mar de bé. El que m'hauria encantat hauria sigut fer una foto del Jamar Law amb el cap encallat a la cadira.

A l'àlbum de l'any passat hi havia una foto seva fent aquesta estupidesa i jo estava a punt per si ho tornava a repetir. Ja sé que un fotògraf no ha d'influenciar els seus models, però tant me fa.

Sempre que veig una foto a l'àlbum de la classe o en una revista hi ha un títol a sota.

Per això, quan he entregat les fotos al final del dia, he escrit els títols per tal que la Betsy sabés de què anava la cosa.

Estic segur que la braguseta del Doug Parker està oberta

Cretins a l'autobús

El Trevor Wilson surt del lavabo sense haver-se rentat les mans

Un altre cop! El Chad Middleton ha d'anar a la infermeria perquè li surt sang del nas

He fet un parell de fotos a l'hora de dinar però n'hi ha que sortien amb els ulls tancats. I no haurien funcionat si no les hagués editat una mica.

La cosa fantàstica de les fotos d'ara és que, com que són digitals, sempre pots retocar-les si hi ha alguna cosa que no ha quedat bé.

Com que estic convençut que als àlbums de final de curs els falta una mica d'humor, n'he editat unes quantes per fer-les més divertides. Espero que el profe Blakely no s'enfadi gaire quan vegi la seva.

sinònim:
un mot que té el mateix...

IMBÈCIL QUI HO LLEGEIXI

Ara m'adono que ser el fotògraf de l'àlbum de curs em dóna molt de poder.

Per exemple, puc decidir qui sortirà a l'àlbum i qui no. I si algú que em toca els nassos, em puc venjar.

He fet una foto del Leo Feast després de classe, i remenant-la una mica amb l'ordinador li he reduït el cap un 75%. Espero que aquesta passi el control editorial. I, de fet, he d'agrair-ho un cop més a la Bola Màgica número 8.

Dilluns

Durant el cap de setmana he tingut l'oportunitat de fer una miradeta a l'armari de la mare i he trobat el meu pijama manta darrere les seves botes d'hivern.

M'he quedat de pasta de moniato. Durant els últims mesos l'he buscada milions de vegades i resulta que era a l'armari de la mare tot aquest temps.

El pijama manta va ser un regal dels pares per Nadal de l'any passat. He d'admetre que d'entrada no em va fer gaire il·lusió.

Però això va canviar just quan el vaig provar. He de dir, i vull que consti per a la posteritat, que el paio que es va inventar el pijama manta és un geni.

Sabeu allò que passa, quan esteu escarxofats al sofà, ben tapadets amb una manta, i resulta que heu de treure els braços de sota perquè voleu agafar el comandament a distància o un got d'aigua?

Doncs amb el pijama manta no teniu cap problema. És com una manta però amb la particularitat que té braços i uns guants al final, que són com unes mitenes. Total, que pots agafar el que sigui sense passar fred.

El pijama manta està fet de llaneta fina i és com si estiguessis tapat al llit tota l'estona.

Al Rodrick també li van regalar un pijama manta i em penso que a ell encara li agrada més que a mi. De fet, des del primer cop que el va fer servir, no se'l va treure durant cinc dies.

I estic segur que encara seria a dins si la mare no l'hagués obligat a dutxar-se.

Normalment el Rodrick només dormia al seu llit o al sofà, però un cop va tenir el pijama dormia a qualsevol lloc.

Els pares l'hi van consentir durant un cert temps però em penso que el Rodrick es va passar de la ratlla, i d'un dia per l'altre els nostres pijames manta van desaparèixer.

I ara que he trobat el meu pijama manta, aquest cap de setmana no sé què fer.

Si me'l poso i em passejo així per casa, la mare sabrà immediatament que he estat remenant el seu armari. L'únic lloc on el podria fer servir seria al llit, i això no té gaire sentit.

Però aquest matí, quan em preparava per anar a escola, he tingut la llambregada.

M'he adonat que si em posava el pijama manta sota la roba d'anar a escola seria com si estigués al llit durant les classes.

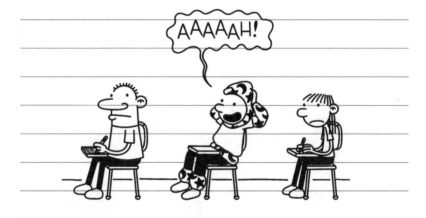

Però tant de bo ho hagués analitzat una mica millor. El pijama manta potser és confortable per mirar la tele, al sofà de casa, però per anar caminant fins a l'escola, no funciona gens ni mica.

Els camals del pijama manta són molt curts i t'obliguen a caminar com si fossis un pingüí.

No he pogut obrir el meu armariet amb les mitenes posades i l'hora de gimnàstica ha sigut un malson.

I he descobert que la llaneta és un horror quan tens calor.

Després de gimnàstica els peücs del pijama manta s'han omplert de suor i he arribat a la conclusió que calia fer-hi alguna cosa.

Però quan ja m'anava a treure el pijama manta se m'ha trencat la cremallera.

Ja es veia venir que tots aquests productes que anuncien a la tele són una porqueria.

He intentat sortir-me'n passant els braços pel forat del cap però no hi havia manera de treure els colzes.

M'ha agafat un atac de pànic perquè no hi havia cap mena de ventilació i m'he vist cuit de viu en viu, com unes mandonguilles escalfades al microones.

Al cap d'un minut he començat a respirar fondo per intentar calmar-me una mica. Només em quedaven unes quantes classes i després ja em podria escapar cap a casa.

L'última classe era de Socials i teníem un examen. No estava gens preparat, però per sort he vist que era un test: veritat / fals.

I aquest és la mena d'examen ideal per a la Bola Màgica número 8.

Quan l'examen ha començat m'he tret la Bola Màgica número 8 de la bossa i he repassat les preguntes, d'una en una. Algunes de les respostes m'han semblat una mica sospitoses però he pensat que fins ara la Bola Màgica número 8 m'havia ajudat sempre. No era moment de començar a dubtar.

Ha sigut un procés lent. Els altres xavals ja entregaven els exàmens i jo encara anava per la meitat.

M'he començat a posar nerviós, convençut que no
tindria temps d'acabar abans del timbre i, a sobre,
la Bola Màgica número 8 s'ha posat a fer l'idiota.

L'he començat a sacsejar com un boig, per obtenir
respostes bones, però aleshores n'ha saltat el
mànec.

La Bola Màgica número 8 ha caigut a terra amb
força empenta i, abans que la pogués enxampar,
ha anat rodolant fins als peus de la Merritt.

En aquell precís moment ha sonat el timbre i, un cop tots els xavals ja havien sortit, la profe Merritt m'ha dut al despatx del subdirector Roy. La Merritt li ha explicat que m'havia enxampat fent servir un "giny d'alta tecnologia per fer trampes" a l'examen.

Em penso que el subdirector Roy estava una mica despistat, però tot i això s'ha pres la cosa seriosament. Ha trucat a la mare i al cap de deu minuts ella ja era al seu despatx.

185

Per un cop la mare s'ha comportat de manera lleial i m'ha fet costat. Ha dit que la Bola Màgica número 8 era "una joguina inofensiva" i que no servia per fer trampes de cap mena.

Una mica més i interrompo la mare per dir-li que la Bola Màgica número 8 era una canya, però he sabut callar a temps. A més, la mare encara no havia dit res sobre el pijama manta i he pensat que valia més no empipar-la.

Ja estava convençut que el subdirector Roy em deixaria anar sense castigar-me, però ha començat a remenar l'ordinador. Ha obert la meva carpeta digital i ha dit que tenia unes notes fatals, en totes les assignatures i que feia tres setmanes que no entregava els deures.

Bé, això potser és veritat, perquè des del dia que el Fregley va llençar els meus llibres no sé pas com fer els deures.

Aleshores el subdirector Roy ha deixat caure la bomba. Ha dit que si els resultats no milloraven durant les properes setmanes, hauria d'anar a l'escola de repàs a l'estiu.

Allò m'ha fet estar més al lloro. He sentit veus que diuen que l'escola de repàs és un horror absolut.

Per començar tenen l'aire condicionat sense engegar, així s'estalvien els quartos.

Més que una escola allò sembla una presó i no hi ha cap dels profes normals. Fins i tot he sentit a dir que qui fa de profe d'anglès és el conserge.

No sé pas si el subdirector volia acoquinar-me, però us puc dir que ha funcionat. Perquè només la idea d'haver-me de passar les vacances d'estiu amb el conserge Meeks és suficient per convertir-me en un alumne d'excel·lents.

Dijous

No acabo d'entendre com és que tinc unes notes tan dolentes, perquè l'any va començar força bé. El primer trimestre fins i tot vaig aconseguir uns quants "bé" i "notable", i la mare em va concedir el privilegi d'anar a menjar un immens gelat de xocolata per celebrar les notes.

El Rodrick es va apuntar al rotllo, tot i que al primer trimestre va treure unes notes penoses.

I tot plegat em va ensenyar una lliçó: tant és que hi posis el coll perquè al final sempre hi ha algú que t'acaba espatllant la bona feina.

Ja sé que no sóc un estudiant model, però mai no havia hagut d'anar a l'escola de repàs d'estiu.

És per això que aquesta setmana he fet el que he pogut per millorar les coses. La mare m'ha comprat els llibres de text de segona mà i jo m'he posat al dia dels deures, cada vespre.

Però algunes de les assignatures que suspenc ni tan sols tenen deures. Una d'aquestes és Música i aquí el problema és que no hi participo. Cap dels xavals ho fa i aleshores és quan la profe Norton se'ns enganxa a la cara i intenta fer-nos cantar.

QUAN JO N'ERA PETITET, FESTEJAVA I PRESUMIA...

Si resulta que el conserge Meeks fa de profe d'anglès a l'escola de repàs de l'estiu, no vull ni imaginar-me com deu ser la classe de Música.

He decidit que a partir d'avui seré el millor alumne de la Norton.

Total que quan ha passat llista i ha dit el meu nom, al principi de la classe, m'he alçat i m'he posat a bramar la cançó que estàvem aprenent.

La Norton ha esperat que jo acabés i aleshores m'ha dit que no em demanava que cantés, que simplement estava passant llista.

Tota la setmana que la mare m'ha ajudat a posar-me al dia amb els deures endarrerits, però el que m'ha dit és que m'he d'espavilar sol. Es tracta del projecte especial de Ciències. I això és un horror perquè les Ciències no són el meu fort.

L'experiment del projecte especial va ser sobre la metamorfosi. Vaig arreplegar un munt de cucs de seda, els vaig posar en una capsa de sabates amb morera, per menjar, i tots van fer capolls.

El meu pla era obrir la capsa exactament en el
moment en què es convertissin en papallones i allò
deixaria bocabadats els membres del tribunal.

Vaig pencar de valent per tenir-ho enllestit i fins i
tot vaig entregar-lo un dia abans d'hora. Però el
problema és que vaig deixar la capsa amb els cucs
al costat del radiador a l'hora de Ciències, i allò va
acabar en desastre absolut.

Avui, a l'hora del pati era a la biblioteca buscant idees per al projecte especial de Ciències i ha aparegut la Betsy Buckles, que m'ha dit que em reclamaven al despatx de l'àlbum de final d'any.

M'ha dit que hi havia la llista de Favorits de l'Any i que volia que jo fes fotos dels guanyadors.

Aquest any ni m'he pres la molèstia de votar i, per tant, no sabia qui hi havia a la llista. Però quan els he vist aparèixer per la porta, no m'ha resultat gaire difícil de saber qui havia guanyat què.

La majoria de guanyadors eren del tot previsibles.
El Bryce Anderson ha guanyat el Millor Pentinat,
la Cecilia Faramir la més Dotada, la Jenna
Steward la més Ben Vestida.

L'única sorpresa ha sigut el Liam Nelson, que ha
guanyat el premi al Millor Aspecte. El que passa és
que el Liam treballa per als que fem l'àlbum del curs
i era responsable del recompte de vots. Alguna
cosa em diu que els resultats no són 100 % fiables.

Quan he vist entrar el Fregley m'he despistat una
mica. L'única categoria que m'imagino que podia
guanyar era la de Pallasso de la Classe, però
acabava de fer la foto del Jeffrey Laffley.

FLAIX

Per això he hagut de consultar la llista que m'havia donat la Betsy i he descobert que el Fregley ha guanyat la categoria del de Més Èxit. Tenint en compte les parides que fa no m'hauria d'estranyar.

En aquell moment ja estava de bastant mal humor quan han aparegut dues persones més per fer-se fotografiar.

He repassat la llista de dalt a baix i quan he arribat al final m'han agafat tots els mals.

A la vida he hagut de fer coses desagradables però cap de tan insofrible com la que m'ha tocat avui.

Després d'aquesta esceneta he dimitit de fotògraf de l'àlbum de final de curs i he tornat la càmera. Perquè, de debò, tot té un límit, o no?

Dilluns

Des del dia que em va caure la Bola Màgica
número 8 a classe de la Merritt tot ha anat fatal.

Quan el subdirector Roy me la va tornar em vaig
adonar que pesava molt menys. El que va passar és
que quan va caure a terra es va esquerdar i va
perdre el líquid blau de dins. I això significa que ara
ja no val per a res.

SACSEIG,
SACSEIG,

Al final avui l'he llançada al pati de casa l'àvia, quan
tornava cap a casa. Però després l'he trobada
molt a faltar perquè havia de prendre decisions
importants.

Per fi m'he posat al dia amb tots els deures
endarrerits, però dijous he d'entregar el meu
treball especial de Ciències i encara no tinc ni idea
del que puc fer.

Total, que he pensat en l'Erick Glick. Sempre havia sentit a dir que si estaves molt atrapat amb el tema d'una feineta endarrerida ell et podia treure les castanyes del foc, i m'he dit que potser em podria donar un cop de mà amb el treball de Ciències.

Però tenia certes reserves perquè la idea de tractar amb un personatge tan fosc com l'Erick no m'entusiasmava. Aquesta és la mena de decisió que hauria consultat amb la Bola Màgica número 8, però ara no tenia altre remei que decidir-ho sol.

Com que no podia triar gaire, a l'hora del pati he anat al racó on es posa l'Erick i li he explicat el cas.

Ell m'ha dit que m'ho podia solucionar. Ha trucat de manera especial i secreta a una porta d'allí a la vora, que no tenia pom. Aleshores la porta s'ha obert des de dins.

He trigat una mica a acostumar-me a la foscor. Pel que he pogut copsar, allò era una mena de magatzem on mitja dotzena de xavals traficaven amb una pila de papers damunt d'una taula.

Hi havia quaderns de notes usats i historials acadèmics, i un munt de coses més.

Qui m'ha semblat que manava era un tal Dennis Denards, que fa no sé quants anys que repeteix curs. M'imagino que l'única raó per repetir és que no vol abandonar el seu negoci mafiós.

L'Erick ha dit al Dennis que necessitava un treballet especial per al projecte de Ciències, i aleshores m'han dut a una zona separada on hi havia vells treballs per a tots els gustos.

Pel que he pogut entendre, com més bo era el treball més car era.

Hi havia un treball que em sonava una mica, i quan me l'he mirat millor he descobert per què. Era el treball especial de Ciències que havia fet el Rodrick quan anava a l'insti.

Encara me'n recordo quan el va fer. La idea era veure de quina manera diferents tipus de música afectaven el creixement de les flors.

El que feia era posar un test amb flors per tots els racons de casa on hi havia música.

Totes les flors van morir al cap d'una setmana, i el Rodrick va arribar a la conclusió que era la música el que les matava. Però la mare li va dir que es morien perquè no les regava mai.

M'imagino que el que passa és que els de l'insti abandonen al magatzem tots els treballs de Ciències, tant si han tingut bona nota com si no.

No sé si ha sigut el fet de veure l'antic treball del Rodrick però la qüestió és que m'he començat a desdir de tot plegat. Em penso que el Dennis i l'Erick se n'han adonat perquè han començat a insistir amenaçadorament.

Aleshores he dit al Dennis que no tenia ni un cèntim i que ja tornaria l'endemà.

L'Erick m'ha dit que buidés les butxaques al seu davant però aleshores he vist que la porta del carrer estava mig oberta i he fugit.

A més, sincerament, no crec pas que estigui preparat per fer tractes amb paios com el Dennis Denards o l'Erick Glicks. Comences així i vés a saber com acabes.

Dimecres

Això sí que no m'ho esperava. Una setmana després que el Rowley i l'Abigail haguessin estat escollits com la parella més bufona del curs, se senten veus que ho han deixat córrer.

Es diu que l'Abigail torna a anar amb el seu antic noviet, el Michael Sampson, i es remoreja que si va començar a anar amb el Rowley va ser per engelosir el Michael.

Sembla que la cosa ha funcionat, però quin cop més dur per al Rowley!

La cosa és que no puc perdre el temps compadint el Rowley perquè ja tinc prou maldecaps.

Ahir em vaig haver de quedar un cop més després de classe, per segon dia consecutiu, perquè havia de fer una mica de recerca de cara al treball especial de Ciències, que he d'entregar demà mateix.

Ah, i sort que vaig deixar córrer la perillosa connexió amb el Dennis Denards, perquè algú ho deu haver xerrat als professors i avui hi ha hagut una batuda al magatzem amb totes les de la llei.

QUE NO ES MOGUI NINGÚ!

Tots els xavals que han enxampat rebran un càstig fins a final de curs, i estic segur que inclou una bona estada al curs de repàs especial d'estiu.

TIC
TAC
TIC

Jo encara tinc la possibilitat d'esquivar el curs de repàs i espero aconseguir-ho, perquè no vull quedar-me atrapat a la cadira del darrere del Dennis Denards, mirant-li el clatell suat tot l'estiu.

Dijous

Ahir, vaig treballar en el meu projecte de Ciències, des del moment que vaig arribar a casa fins a dos quarts de dotze de la nit. No dic que es mereixi el premi Nobel ni res d'això, però la veritat és que n'estic la mar d'orgullós.

Em penso que la mare també estava força satisfeta. Però un cop vaig haver acabat de repassar la llista de requisits que la profe Abbigton havia enviat a casa, vaig veure que deia, en lletres majúscules, que el treball havia d'estar escrit a l'ordinador.

La mare em va dir que no valia la pena de protestar i que valia més que posés fil a l'agulla i que el comencés a copiar immediatament.

El problema és que ja havia gastat tota l'energia, per això vaig dir-li que me n'anava a dormir i que em llevaria molt d'hora per poder-ho fer l'endemà.

Em vaig posar el despertador a les sis però m'he despertat a les 8:10. M'ha agafat un globus impressionant, perquè la veritat és que no me'n recordo, d'haver-lo apagat ni un cop.

He vist de seguida que la situació era crítica, perquè havia de marxar al cap de vint minuts i, per tant, era impossible que pogués passar tot el treball abans.

Però quan he baixat al pis de sota m'he trobat el treball especial de Ciències damunt la taula de la cuina, i el millor és que estava tot passat a l'ordinador.

Per uns segons he cregut que la fada del Treball Especial de Ciències havia vingut durant la nit i havia escampat pols màgica per damunt les pàgines, però aleshores m'he adonat que ho havia fet la mare.

He anat al seu dormitori per donar-li les gràcies però dormia com un tronc.

He entregat el treball especial de Ciències a segona hora i us puc assegurar que m'he tret un bon pes de sobre. Durant la resta del dia fins i tot m'ho he passat bé a classe.

El Rowley, en canvi, no feia gaire bona cara.

A l'hora de pati es passejava amunt i avall com una ànima en pena, i un cop o dos l'he vist al costat de la Casa per TROBAR un AMIC.

Ja gairebé estava disposat a apropar-m'hi per parlar amb ell, però el profe Nern se m'ha avançat.

Com més hi pensava més clar veia que és millor que el Rowley i jo no siguem amics. Ens hem passat la vida en aquesta mena d'estira-i-arronsa i, de debò, crec que ja n'hi ha prou.

Però quan he vist el Rowley que jugava a dames amb el Nern, m'he sentit més aviat culpable.

Com que no sabia què fer amb tot això del Rowley, he anat al lloc on sabia que podria obtenir una resposta.

Camí de casa, m'he aturat a la de l'àvia per veure si podia trobar la Bola Màgica número 8 al seu pati. Ja sabia que estava trencada, però he pensat que així i tot potser podria obtenir-ne una darrera resposta.

M'ha costat un munt d'estona però al final l'he trobada mig soterrada sota una pila de llenya.

M'estava preparant per concentrar-me al màxim quan, tot d'una, he vist una cosa verda i brillant que sortia de sota un tió.

He deixat córrer la Bola Màgica número 8 i m'he disposat a recuperar l'ou de plàstic.

L'he sacsejat una mica i a l'instant he sabut què hi havia a dins.

No em podia ni creure que la Bola Màgica número 8 m'hagués conduït fins a l'anell de diamants de la Meemaw. Suposo que la bola encara creia que me'n devia una per tot el que ha passat recentment.

Un cop he sabut que tenia l'anell de la Meemaw, un milió de pensaments m'han vingut al cap; la majoria tenien a veure amb una motxilla voladora.

Però aleshores he recordat el que la mare va dir que passaria si algú trobava l'anell. I, tot i que sabia que n'hauria pogut treure una pasta gansa, he pensat que per allò no valia la pena trencar la família.

Total que he agafat l'ou i l'he amagat en un lloc que ningú no el trobarà, o com a mínim no durant molt de temps. Però si algun cop vaig curt de diners sempre sé que entre el Pessigolles número quatre i el cinc trobaré la solució als meus maldecaps.

<u>Dilluns</u>

La Bola Màgica número 8 potser va bé per ajudar-me en les decisions petites però ara sé que les decisions importants les he de prendre jo, tot sol.

Per això avui, a l'hora de dinar, he anat cap al final de la cua, on seia el Rowley i li he dit si volia seure amb mi. Al cap de cinc segons ja era igual que tota la vida.

Ja sé que la mare diu que els amics vénen i van i que, en canvi, la família és per a tota la vida, i potser té raó.

Però us asseguro que la família no hi serà quan la penya del Mingo us persegueixi amb el cinturó, camí de casa.

CLAC

També sé que tard o d'hora el Rowley i jo ens barallarem i ja hi tornarem a ser, però, per ara, ja m'està bé així.

O com a mínim fins que aparegui l'àlbum de final de curs de la classe. Ara que m'imagino que quan això passi sempre podrem trobar una solució, oi?

La Parella més bufona:
El Rowley i l'Abigail

AGRAÏMENTS

Gràcies als fabulosos fans del *Diari del Greg* arreu del món, que feu que escriure aquests llibres sigui tan gratificant. Gràcies per inspirar-me i donar-me ànims.

Gràcies a la meva família per tots els anys de suport i estimació. Estic molt feliç de formar part de les vostres vides. Gràcies a la gent d'Abrams per haver-me convertit en un autor que publica i per tenir tanta cura en l'edició dels llibres. Gràcies al meu editor, Charlie Kochman, per la teva dedicació i passió. A Michael Jacobs per ajudar el Greg Heffley a arribar cada cop més amunt. A Jason Wells, Veronica Wasserman, Scott Auerbach, Jen Graham, Chad W. Beckerman i Susan Van Metre per la vostra feina i la vostra amistat. Gràcies a tothom de Poptropica, especiament a Jess Brallier, per pensar que els nens mereixen una gran història. Gràcies a Sylvie Rabineau, la meva fantàstica agent, per orientar-me. A Brad Simpson i Nina Jacobson per portar en Greg Heffley a la gran pantalla, i gràcies a Roland Poindexter, Ralph Millero, i Vanessa Morrison per ajudar el Greg Heffley a dur una nova vida. Gràcies a Shaelyn Germain i Anna Cesary per treballar amb mi enmig de la bogeria.

SOBRE L'AUTOR

Jeff Kinney és dissenyador de jocs en línia i ha estat a les llistes dels autors més venuts del *New York Times*. La revista *Time* l'ha considerat una de les 100 persones més influents del món. Jeff és el creador de Poptropica.com, nomenada una de les 50 millors Webs. Va passar la infantesa a Washington DC i es va traslladar a Nova Anglaterra el 1995. Jeff viu al sud de Massachusetts amb la seva dona i els seus dos fills.